402 李仁芳博士 策劃
實戰智慧館

錫蘭式的邂逅

我在創意之都矽谷的近距離觀察

鄭志凱 著

《實戰智慧館》

出版緣起

王榮文

在此時此地推出《實戰智慧館》，基於下列兩個重要理由：其一，台灣社會經濟發展已到達了面對現實強烈競爭時，迫切渴求實際指導知識的階段，以尋求贏的策略；其二，我們的商業活動，也已從國內競爭的基礎擴大到國際競爭的新領域，數十年來，歷經大大小小商戰，積存了點點滴滴的實戰經驗，也確實到了整理彙編的時刻，把這些智慧留下來，以求未來面對更嚴酷的挑戰時，能有所憑藉與突破。

我們特別強調「實戰」，因為我們認為唯有在面對競爭對手強而有力的挑戰與壓力之下，為了求生、求勝而擬定的種種決策和執行過程，最值得我們珍惜。經驗來自每一場硬仗，所有的勝利成果，都是靠著參與者小心翼翼、步步為營而得到的。我們現在與未來最需要的是腳踏實地的「行動家」，而不是缺乏實際商場作戰經驗、徒憑理想的「空想家」。

我們重視「智慧」。「智慧」是衝破難局、克敵致勝的關鍵所在。在實戰中，若缺乏智慧的導引，只恃暴虎馮河之勇，與莽夫有什麼不一樣？翻開行銷史上赫赫戰役，都是以智取勝，才能建立起榮耀的殿堂。孫子兵法云：「兵者，詭道也。」意思也明指在競爭場上，智慧的重要性與不可取代性。

《實戰智慧館》的基本精神就是提供實戰經驗，啟發經營智慧。每本書都以人人可以懂的文字語言，綜述整理，為未來建立「中國式管理」，鋪設牢固的基礎。

遠流出版公司《實戰智慧館》將繼續選擇優良讀物呈獻給國人。一方面請專人蒐集歐、美、日最新有關這類書籍譯介出版；另一方面，約聘專家學者對國人累積的經驗智慧，做深入的整編與研究。我們希望這兩條源流並行不悖，前者汲取先進國家的智慧，做為他山之石；後者則是強固我們經營根本的唯一門徑。今天不做，明天會後悔的事，就必須立即去做。台灣經濟的前途，或亦繫於有心人士，一起來參與譯介或撰述，集涓滴成洪流，為明日台灣的繁榮共同奮鬥。

這套叢書的前五十三種，我們請到周浩正先生主持，他為叢書開拓了可觀的視野，奠定了扎實的基礎；從第五十四種起，由蘇拾平先生主編，由於他有在傳播媒體工作的經驗，更豐實了叢書的內容；自第一一六種起，由鄭書慧先生接手主編，他個人在實務工作上有豐富的操作經驗；自第一三九種起，由政大科管所教授李仁芳博士擔任策劃，希望借重他在學界、企業界及出版界的長期工作心得，能為叢書的未來，繼續開創「前瞻」、「深廣」與「務實」的遠景。

《實戰智慧館》

策劃者的話

企業人一向是社經變局的敏銳嗅覺者，更是最踏實的務實主義者。

九〇年代，意識形態的對抗雖然過去，產業戰爭的時代卻正方興未艾。

九〇年代的世界是霸權顛覆、典範轉移的年代：政治上蘇聯解體；經濟上，通用汽車（GM）、IBM虧損累累——昔日帝國威勢不再，風華盡失。

九〇年代的台灣是價值重估、資源重分配的年代：政治上，當年的嫡系一夕之間變偏房；經濟上，「大陸中國」即將成為「海洋台灣」勃興「鉅型跨國工業公司（Giant Multinational Industrial Corporations）的關鍵槓桿因素。「大陸因子」正在改變企業集團掌控資源能力的排序——五年之內，台灣大企業的排名勢將出現嶄新次序。

企業人（追求筆直上升精神的企業人！）如何在亂世（政治）與亂市（經濟）中求生？外在環境一片驚濤駭浪，如果未能抓準新世界的砥柱南針，在舊世界獲利最多者，在新世界將受傷最大。

亂世浮生中，如果能堅守正確的安身立命之道，在舊世界身處權勢邊陲弱勢者，在新世界將掌控權勢舞台新中央。

李仁芳

《實戰智慧館》所提出的視野與觀點，綜合來看，盼望可以讓台灣、香港、大陸，乃至全球華人經濟圈的企業人，能夠在亂世中智珠在握、回歸基本，不致目眩神迷，在企業生涯與個人前程規劃中，亂了章法。

四十年篳路藍縷，八百億美元出口創匯的產業台灣（Corporate Taiwan）經驗，需要從產業史的角度記錄、分析，讓台灣產業有史為鑑，以通古今之變，俾能鑑往知來。

《實戰智慧館》將註記環境今昔之變，詮釋組織興衰之理。加緊台灣產業史、企業史的紀錄與分析工作。從本土產業、企業發展經驗中，提煉台灣自己的組織語彙與管理思想典範。切實協助台灣產業能有史為鑑，知興亡、知得失，並進而提升台灣乃至華人經濟圈的生產力。

我們深深確信，植根於本土經驗的經營實戰智慧是絕對無可替代的。另一方面，我們也要留心蒐集、篩選歐美日等產業先進國家，與全球產業競局的著名商戰戰役，與領軍作戰企業執行首長深具啟發性的動人事蹟，加上本叢書譯介出版，俾益我們的企業人汲取其實戰智慧，做為自我攻錯的他山之石。

追求筆直上升精神的企業人！無論在舊世界中，你的地位與勝負如何，在舊典範大滅絕、新秩序大勃興的九〇年代，《實戰智慧館》會是你個人前程與事業生涯規劃中極具座標參考作用的羅盤，也將是每個企業人往二十一世紀新世界的探險旅程中，協助你抓準航向，亂中求勝的正確新地圖。

策劃者簡介

李仁芳教授，一九五一年出生於台北新莊。曾任政治大學科技管理研究所所長，輔仁大學管理學研究所所長，企管系主任，現為政大科技管理研究所教授，主授「創新管理」與「組織理論」，並擔任行政院國家發展基金創業投資審議會審議委員，交銀第一創投股份有限公司董事，經濟部工業局創意生活產業計畫共同召集人，中華民國科技管理學會理事，學學文化創意基金會董事，文化創意產業協會理事，陳茂榜工商發展基金會董事。近年研究工作重點在台灣產業史的記錄與分析。著有《管理心靈》、《7-ELEVEN統一超商縱橫台灣》等書。

目錄

第四部 網路後現代

在網路與數位的澎湃浪潮中，穩駁你的方向。

第五部 綠色領航

綠色經濟、潔淨科技，與地球永續同步行。

推薦序

尋幽取靜，後現代社會的視野

中華文化總會會長 劉兆玄

欣聞志凱兄新書《錫蘭式的邂逅》即將出版，有幸先睹為快，實一樂事。

創投家原本對科技及潮流具有敏銳的觀察，志凱兄加之以多年處世任事的經驗，筆下亦敘亦論，遍及各項當代議題，尋幽取靜，既不追逐附和，亦不作夸夸之言，全書顯現出一位經營管理者對知識經濟的觀點，以及一位知識分子對後現代社會的體認。

在〈文創，不僅需要掌聲〉一文中，志凱兄提到「文化的高度與文創的廣度之間的關係有如金字塔，不追求高度，不會有廣度」的論述，於我心有戚戚焉。其實，文化也需要掌聲。人類創造的文化裡最尖端的一塊，如數學、理論科學，如前衛文學藝術，其創作者怎會不需要掌聲？但他們只能滿足在真正能懂得欣賞的極少數掌聲中，那是陽春白雪的宿命。

「文化創意」並不等於「文創產業」，能把菁英的「文化創意」轉化為普羅大眾喜歡的產品，本身又是一種創意，也才能夠形成一條產業鏈，透過商品化來維繫營運，再持續支持文創作品的創作與開發，形成良性循環。如志凱兄在文中所說：亞洲長於效率創新，美國長於科技創新，歐洲長於形式創新。台灣擁有亞洲的效率，又有不輸給歐洲文化底蘊的大中華經濟、文化圈，會不會是發展文創產業的最佳選擇？

近年來，政府大力推動文化創意產業，中華文化總會也協調民間及政府資源，推出網上《中華語文知識庫》，打造未來華人文化和文創事業的基礎平台。台灣承襲悠久的中華文化，擁有厚實的資訊和通訊硬體基礎，加上民主開放、充滿人情味的社會風氣，的確具備發展科技文創的良好條件。只不過，誠如志凱兄所言，文創的艱難之一是，這條從個人品味到產品風格到社會大眾趨之若鶩的時尚之路，其間曲折無人能夠掌控，終點也沒人可以預見。不過只要有了開始，方向正確，成事畢竟在人。

志凱兄從事創投產業多年，見識到許多產業的起伏興衰，近五年來公務之餘尚勤於筆耕。在這本書中，我們看到了作者宏觀的視野、精闢的論理及動人的文采，提供讀者跨領域、全方位的知識饗宴，字裡行間所反映的人文關懷，尤其引人深思。相信他的用心與努力，能為台灣的整體軟實力產生加分的效果。

推薦序

投資「豁達人生、美好社會」的未來

財團法人資訊工業策進會董事長
史欽泰

我的好友鄭志凱先生送來新作《錫蘭式的邂逅》邀我作序，我想以多年來共事相處的角度，談談我所認識的志凱兄。

我和志凱兄相識甚早，在工研院及所屬創新技術移轉公司的陳年往事，倏忽已接近三十年。後來我們分處台灣和美國加州，不約而同一起參加玉山科技協會的許多活動。玉山科技協會是一個為創新者創造機會的平台，藉由分享互助的機制，由擁有豐富產業經驗的創業家、投資者及公司高層主管，協助有抱負的年輕人落實創意，成就創業的夢想。從我的觀察角度，志凱兄向來樂於協助後進，認真盡責地做每一件事情之外，更樂於將從事創投多年的經驗，透過文字或面對面的機會，毫無保留地與大家分享。特別的是，他不僅在做事方法上指導後進，還兼顧到人在面對成功失敗時所持的心念，從更超然的心態中去面對創業的風險，用更寬廣的尺度評估自己所做事情的價值。

當年我在工研院服務，曾與經濟部中小企業處及玉山科技協會合作，執行「Victory Taiwan」計畫，協助台灣的中小企業創造新的投資機會，志凱兄及矽谷多位創投界的朋友都在不同的場合提供許多協助。後來我在清華大學科管院任教，期待能協助清華大學卓越的學術成果，藉由產學合作，促成商品化的發展，對社會產生深遠的影響。志凱兄是清華大學校友，也是清華企業家網絡協會（TEN）的成員，他往往把握不遠千里每次回台灣的機會，給清華大學學生創業團隊許多鼓勵，協助大家釐清思慮不明之處，加深了解產業實況，並積極為一些創新技術尋找可能的發展機會。

二〇一〇年我到資策會服務後，發現資策會發行的《創新發現誌（ideas）》中，有許多談論創新、創業的文章，志凱兄以「新觀念」為名的專欄為其中之一。三年多來，志凱兄公餘之暇筆耕不輟，不僅文筆敦厚，並且語重心長，跳脫創投者對投資報酬率的算計，而從企業及科技廣泛且深刻的觀察入手，終而呈現對人文及社會的終極關懷。透過他的文章，讀者也許能體會到，在從事追求利潤的投資之外，不要忘記投資「豁達人生、美好社會」的未來。

志凱兄在我個人生涯的各階段，與我有何處不相逢的緣分。我相信能夠看到這本《錫蘭式的邂逅》的讀者，都可以獲得意料之外的啟發，故樂為之序。

來自各方的真誠推薦

（推薦人按姓氏筆劃排列）

這是一本將科技、產業、管理、經濟、人文、歷史，融入現代經營哲理的好書。各篇文章均有其典故及深奧的含意。作者以從容的國際觀，注入深度的智慧評論，閱讀中深受感動，閱讀後回味無窮。

聯華神通集團董事長
苗豐強

本書作者從事創投多年，長期關心科技與產業發展，以及環境永續等議題。他兼具科技心與文化情，胸懷千萬里而思緒細膩如絲，文章立論宏觀而見解精闢，值得一讀再讀。

工業技術研究院院長
徐爵民

文筆雅正，說理清晰，人文、社會及科學見識自然交融，誠可列開卷有益的用心力作。

財團法人高等教育評鑑中心基金會董事長、前教育部長

鄭瑞城

許久不見如此一本原汁原味的創業好書，鄭先生取自矽谷及多年經驗，為華人量身訂造，引經論典，觀點極為宏遠，以大家知道的事情開始，卻引導到令人驚喜的結論。這樣的氣度通常只見於外文書，沒想到華人學子也有一日可以讀到，是一本值得你我珍藏的經典級作品。

Mr. 6、網路趨勢專家

劉威麟

自序

你的抉擇，終將成為你的印記

二十世紀初名滿歐洲的經濟學才子熊彼得對馬克思的經濟理論向無好評，但卻對他推崇備至，尊為不世出的經濟學家，因為馬克思問的都是好問題。依熊彼得的看法，提出一個好問題，遠比提供正確的答案重要。

本書寫作跨越時間長達五年，同時個人關注的議題廣泛，從創業、科技到人文思想，自個人成長、社會行為到永續經營地球，內容看似蕪雜而難以歸類（所謂 genre-breaking），但是縱觀四十餘篇文章，自有其一貫的思路和理念。

我不敢奢言這些文章提出了好問題，但應該都是現代人經常關注的重要議題。這些議題全世界無數一流的學者專家曾經付出畢生心智，出版的書籍和研究論文成篇累牘，我的區區短文只能大題小作，舉重若輕，一則受制於文字長度，二則個人才識有限，何況寫文章本來不過心有所感，拋出的議題若能引發讀者的關注，對作者已是極大的滿足。

既然提出議題，不免牽涉個人觀點，字裡行間流露的一己之言，請讀者千萬明辨慎思。重要的議題都是複雜的問題，沒有簡單答案。

本書分為五部，由個人、組織，向人類社會、地球的未來依序開展。在知識稀釋智慧、轉述淹沒原創的資訊時代，唯有與眾不同的創意，才是真正推動知識經濟的原動力，這是第一部「創意引擎」的主軸。無論學習新知或解讀資訊，目的都在改善決策的品質，因此第二部「決策密碼」從不同角度透視決策的各個向面。未來社會勢將日趨多元、老齡、全球化，網路入侵人類生活也還方興未艾，社會變遷和網路兩大趨勢交相激盪，二十一世紀的現代人面對的挑戰自然與上個世紀大相逕庭，第三部「新管理時代」及第四部「網路後現代」所能探討者不過百中一二。最後，第五部「綠色領航」思維人與環境、人與物種、人與人間的關係，人看似位於中心，其實只是萬物之網中的一絡短絲，絲絲相連，彼此相互牽動。

每一個人既被領導，也在特定的時空中扮演某項領導者的角色。亞馬遜書店的創辦人貝佐斯在二〇一〇年普林斯頓大學畢業典禮致辭時說：「我即我的抉擇（We are our choices）。」領導者每時每分所做的抉擇，不只攸關成敗，也反映個人的人格和行事風格，更直接或間接形塑了組織的文化風格。無論擔任公司一位小主管或高階領導，在社會團體內負責一個小項目或一宗大計畫，或者在家庭中扮演父母尊長的角色，每一個人做一項抉擇時，其實需要動員全方位的知識、見識和膽識。本書整體主題看似發散，但也反應了現代知識經濟中一位領導者平日經常遭遇的議題。做為一位領導者，無論地位高低，你對這些議題的見解與立場，決定了事到臨頭時如何做出關鍵的抉擇，而你的抉擇，終將成為你的印記。

我有幸過去二十餘年身處全球科技創新之都——矽谷，最近十餘年從事創投工作，往來多是兩岸三地第一流的人才。我有機會近距離觀察產業的更迭，趨勢的潮起潮落，以及創業的艱辛與收穫。我既參與創業者的成功，也常分擔他們的失敗。歷經數十回合後，發現成功不但沒有公式，也沒有絕對的尺度，有的創業者「成功」後，投資人不屑再度與其共事，有人「失敗」，卻與投資人從此結為好友。成與敗，好與壞，功與過，經常需要綑綁打包，概括承受。這可能是這四十餘篇文章所持的基本態度——不當啦啦隊，不搖旗吶喊，雖不反對主流觀點，卻更願意站在主流對面，觀察思考，進行一場成年人與成年人的對話。

致謝

這本集子收錄了過去五年在資策會《創新發現誌》和美西玉山科技協會《玉山通訊》發表的文章。從職場到玉山，從寫專欄到出書，整個過程是一個美好的錫蘭式邂逅。一路走來，我受到無數朋友的鼓勵和支持。美西玉山科技協會秘書朱麗芝是我第一位編輯，她的鼓勵是我塵封多年一隻鏽筆的第一滴潤滑劑。資策會《創新發現誌》先後兩位編輯許立佳與胡秀珠，提供我每月從思想到文字所需要的能量；在籌劃本書的過程中，游重光爬梳四十餘篇稜稜角角的文章，整軍編伍，是本書能有今天風貌的原型設計師；主編金麗萍對我的包容和肯定，讓我這難以歸類的專欄作者居然存活，堪稱為異數的創造者。他們幾位的專業素養和對理念的堅持，常讓我想起喬布斯所說的「傻勁難得」（Stay foolish）。

在與出版社洽談的過程中，經國科會舊金山科技組前組長楊啟航博士推介，結識遠流出版公司王榮文董事長。承蒙曾文娟總編輯厚愛，組織了夢幻編輯團隊，主編鄭祥琳、美術設計楊雅棠不僅專業經驗豐富，他們的溫柔敦厚，更充分體現文娟所主張的「編輯的本分是成人（作者）之美」，我能與他們共事，深感與有榮焉。

藉此特別感謝中華文化總會劉兆玄會長和資策會史欽泰董事長抽空為本書撰寫引言。一九七三年我在清華大學還是大一學生，課外參加思言社，劉會長擔任指導老師。一九八三年我服務於隸屬於工研院的創新技術移轉公司，史董事長時任工研院電子所副所長。二〇〇七年我擔任美西玉山科技協會理事長，史董事長正好負責台灣玉山，隔年劉會長榮任全球玉山科技協會名譽理事長。結識兩位先進時間雖早，但因台美路迢，比較密切的聯繫還是從共同為玉山協會服務後開始，此次能藉著這本集子與兩位前輩再度結緣，感到格外珍貴與感謝。

五年裡，我從英文語法逐漸回歸中文本位，從手寫草稿到直接中文輸入，從注音到漢語拼音，這是窮則變的自然轉換過程。我不能忘記還在手書筆耕的頭兩年，妹妹鄭惠汶及外甥女鍾定安、定瑜耐心辨認我那倉促潦草的字跡，然後一字一字地敲進電腦。我更要特別感謝我家太座雷叔雲，她既是第一位讀者，也是最嚴苛的讀者，她對文字的敏感，常讓我辭窮。

其他還有許多令我心存感恩的親朋好友，過去五年中直接間接給我許多啟發或靈感，在此無法一一列舉，容我默念你們的名字，感謝你們。

第一部

創意引擎

發動你的靈感，帶好奇冒險，與成功邂逅。

創意——從何而來，向哪裡去？

《不凡的天才》一書裡，四十位麥克阿瑟獎得主，個個頭角崢嶸，各擅勝場，但縱觀他們的人生歷程，勇於嘗試，屢戰屢敗，不比常人少；飽嚐寂寞，雖千萬人吾往矣的時刻只有更多。是什麼樣的人生哲學，提供他們源源不絕的創意和勇氣？

矽谷某次談創業的座談會裡，一位好奇的觀眾向創投界大老維諾德．柯斯拉（Vinod Khosla）提出一個問題：「矽谷的創業者與其他地區有何不同？為什麼矽谷的創業者比較容易受到創投家的青睞？」柯斯拉見多識廣，一語道破：「其他地區的創業者和創投家難免向過去看，過去的失敗成為現在的紀錄，因此創業時總想規避失敗；而矽谷的創業者和創投家對失敗極度健忘，因此勇於嘗試。失敗不決定價值，創新決定一切。」

這席話揭開了美國三分之一的創投資金集中在矽谷的奧秘，無怪乎年復一年、領一時風騷、推動科技潮流的領航公司如Cisco、Yahoo!、eBay、Google都在矽谷孕育、成長、茁壯。

創意開頭，創新接手

「創新」（innovation）早已成為MBA課程裡的必修課程，科技新秀的魔咒（mantra）。每一場創業者對創投家所做的簡報中，顛覆性的技術（disruptive technology）、競爭利基（competitive edge）、不公平優勢（unfair advantage），種種罐頭辭彙，在未來CEO的口裡滔滔不絕，無一不在企圖證明他的技術裡創新的含金成分。

究竟創新是什麼？它和創意（creativity）有什麼關係？創新就是用不同（新）的方法做同樣的事，或者是拿同樣的方法去做不同的事，當然更多的是發現一個新的方法，然後找一個新的領域去應用。這些「不同」和「新」從哪裡來？靠的就是創意。

創新是一個過程，創意開了頭，創新接過手，把新穎的想法轉換成一件商品、一項服務、一個流程、一種新的商業模式，因此，創意雖然不是創新的充分條件，卻是它的必要條件。

滋養創意的後天環境

每一位矽谷的創投者都同意矽谷致勝的核心在於它的創新能力，如果說矽谷創新能力的指標確實比別的地區高，矽谷這個社群必定蘊含某種特殊的觸媒，能誘發來自四面八方的英雄好漢的創意潛能，加入創新、甚至創業的行列。這樣看來，創意顯然可以來自後天的學習，甚至受到環境的啟發！

有一本過期但毫不過氣的小書《不凡的天才》（*Uncommon Genius: How Great Ideas Are Born*, Denise Shekerjian, 1991）中，作者為創意解碼，走訪了四十位麥克阿瑟獎得主。此獎由麥克阿瑟基金會（MacArthur Foundation）（註一）一九八〇年開始頒發，每年受獎者在二十至四十人之間，不分行業、年齡、地位，不接受推薦，也無從申請，它所獎勵的不是既往的成就，而是對自我的原創性、洞察力和潛能的持續投入（an investment into a person's originality, insight, and potential），無怪乎此獎很快被新聞界稱為「天才獎」。作者訪問的四十位得獎人中，有哈佛大學任教的心理學泰斗、僅有高中學歷但作品為白宮收藏的木匠、在紐約哈林區開辦開放型中小學的老師，還有位獲得諾貝爾獎的詩人。如此不凡的天才組合，他們總該知道創意從何而來吧？

不約而同，他們沒有人提到創意來自一個神秘的來源，沒有人歸功於幸運之神的眷顧，也似乎沒有什麼特別的技巧可以傳授，更沒有人推薦兩日一夜的週末速成班。但是作者在檢視這些得獎人平凡又波瀾壯闊的人生經歷之後，發現創意確實有它獨特的居住環境，有創意的人都知道該如何營造這個環境：

一、發掘出你獨特的才能。
二、下功夫擦亮你的才能。
三、面對風險，失敗只會帶來洞見和機會。
四、向比自己強的高手學習。
五、別心急氣躁，放鬆自己，細水長流。
六、認識自己，了解自己的需要，安排適合自己的環境。
七、尊重自己的文化背景。
八、與其論而不作，不如起而行之。

這八點說來頭頭是道，難道真是一味創意雞湯，服用一口之後，創意即可泉湧而來？假設真有這味創意雞湯，是否對每一個人都有同樣的進補效果？

將動機深化成習性，烹調你的創意雞湯

培養創意固有其技巧脈絡可尋，但技巧之為用，有如學習武術套路，雖然有款有樣，卻沒有力道；武功要能派上用場，還得靠內力。真正能夠展現創意能量的內力，靠的是生活態度和人生哲學。

《不凡的天才》一書裡，四十位麥克阿瑟獎得主，個個頭角崢嶸，各擅勝場，但縱觀他們的人生歷程，勇於嘗試，屢戰屢敗，不比常人少；飽嚐寂寞，雖千萬人吾往矣的時刻只有更多。是什麼樣的人生哲學，提供他們源源不絕的創意和勇氣？

第一，**認識每個人存在的價值**。歸類、貼標籤，有助於知識的累積。對人的價值或潛力的衡量，大多數人也採取同樣歸類、貼標籤的方式。譬如說IQ，或者是SAT、GRE的分數，簡單明瞭地將人分個高下。然而美國重量級心理學者霍華德．嘉納（Howard Gardner，他也是四十位受訪得獎主之一）著名的「多元智力」（Multiple Intelligence）理論，將人的聰明才智拆解成八個不同的向度——語言、數學與邏輯、視覺空間、音樂、肢體運動、人際關係、自我探索和自然的認識。沒有人八項全才，也很少人一無是處。

能夠採取這個觀點，不但不再會妄自菲薄，對他人也會有適當的尊重，創意於是得到自由成長的空間。

第二，**收成在過程，而非結果**。注意力若聚焦在結果，便限制了創意可能探索的方向。當創意剛產生的時候，它不僅充滿不確定性，而且脆弱，容易早夭。要使創意能夠著胎，這些得獎主都有驚人的驅動力，讓自己能集中心志，長時間孜孜矻矻地淬鍊原始的創意，使它有機會逐步成形，終而展現出成熟的風貌。失敗是必然的，唯有不放棄，才有扳回一城的機會。但是在別人讚嘆他成功的時候，他已經開始了另一個創作過程。就像舞蹈家林懷民說的：「作品首演後，我對它一點興趣也沒有，只想重新出發，再去探險。」

第三，**動機決定創意的最終價值**。二〇〇七年，台灣劇場藝術家賴聲川博士在舊金山灣區做了一場小眾演講，漫談他當時的新書《賴聲川的創意學》（註二）。賴聲川是位多年以創意為工作的實踐者，這本書理論與方法兼敘，熱鬧與門道並暢，無論從深度或廣度來說，都有作者的原創觀點。書裡談到藝術的價值難有絕對的標準，譬如說九一一事件便是件不折不扣的恐怖行動，但以其籌劃之精密，行動之準確，幾乎可以媲美一部精心製作的動作鉅片，二者唯一的差異就在於動機。因此檢驗創意的價值，不能不探討創意的來源與動機。賴聲川為此提出「自私指數」的觀念，認為一個人創意終極的成就，在於他能否將動機從利己轉向利他。

從創意，到創新，乃至創業，這一段由無到有的過程，充滿懸疑、不安、焦慮、期待和興奮，我們或許曾經淺嚐，然而更多的時候，總是望門檻而卻步。天才（其實就是以創意為工作者）與凡人的差別，也許只在於他們能將動機深化成習性（創意而非僵化的習性），由習性而積累經驗，以至於一思一念、一觸一動都成為創意的素材。

正如另一位受訪的「不凡的天才」劇場藝術家艾倫・史都華（Ellen Stewart）所說：「對你所做的事有一份愛，其他一切如創意等等，自然源源而來。」

註一：麥克阿瑟基金會乃保險業鉅子John D. MacAuthur一九七八年死後捐贈九二%的遺產成立，為美國著名私人基金會，此麥克阿瑟與軍人麥克阿瑟元帥無關。

註二：《賴聲川的創意學》，天下雜誌出版，二〇〇六年六月。

你的搞怪指數有多高？

多數的大公司都訂定有行為準則，員工一舉一動都受到規範，「搞怪」成為公司鼓勵的企業文化，這可真難以想像。但 Zappos 公司卻百分之百當真，他們相信，任何能創造快樂的措施，最後都會為公司帶來利益。

中國歷代文人裡最受愛戴、人氣歷千年不衰，前有李白，後有蘇東坡。蘇東坡在世即以文章享有盛名，卻一生宦途坎坷，屢屢招忌於當朝權貴，兩度被黜，流放窮荒野地。相傳有一天蘇東坡退朝回家，飯後照他自創的養生法，在室內用手撫著肚子散步，他一時興起，指著大肚皮問道：「你們且說，此中藏有何物？」一個婢女說：「都是文章。」另一人說：「滿腹都是見識。」只有侍妾朝雲取笑他：「學士一肚皮不合時宜。」蘇東坡大笑：「知我者，朝雲也。」

宋代蘇東坡自我調侃的「不合時宜」，移轉到現今的時空，蛻變成台灣年輕人整天掛在嘴邊、說來理直氣壯的「只要我喜歡，有什麼不可以？」或者是西方年輕人振振有辭的「何妨搞怪」（It is ok to be weird）。

其實搞怪不僅僅限於一種個人風格的宣言，二〇〇九年九月被網路書店亞馬遜（Amazon）以十二億美元高價收購的網路鞋店 Zappos，甚至把搞怪列為公司的核心文化之一。

標榜搞怪文化的企業

二〇〇九年年僅三十五歲的華裔青年創業家 Tony Hsieh（謝家華），一九九九年參與投資 Zappos，二〇〇一年親自下海擔任 CEO；在此之前，他創立的 LinkExchange 公司以兩億六千萬美元的價格賣給微軟（Microsoft）。謝家華從這次賣公司的經驗裡，體會到公司文化的重要，所以接下 Zappos 的 CEO 職位後，他決定塑造 Zappos 獨特的企業文化。但和許多 CEO 不同，他並沒有關在房間裡，閉門造車兀自冥想什麼是理想的企業文化；反過來，他要求公司全員參與，人人發表意見。收集了所有人的建議後，經過廣泛討論，最後凝聚成十項核心價值，其中高居第三項的就是：「創造樂趣，搞點小怪。」

（Create Fun and A Little Weirdness）

多數的大公司都訂定有行為準則（conduct code），員工一舉一動都受到規範，「搞怪」成為公司鼓勵的企業文化，這可真難以想像。但謝家華卻百分之百當真，他認為 Zappos 存在的意義，在於能夠為員工和客戶帶來快樂，任何能創造快樂的措施，最後都會為公司帶來利益。Zappos 的薪資比業界平均為低，福利也乏善可陳，但在求職者最嚮往的雇主名單裡，它總是名列前茅。員工快樂，也樂意給客戶提供最好的服務，因此客戶忠誠度讓競爭對手毫無可乘之機。難怪 Zappos 光靠在網路上賣一雙幾十美元的鞋子，營業額每年三級跳，二〇〇八年跨越十億美元大關，最終獲得亞馬遜的青睞，收編旗下。

無論中文的「搞怪」或英文的「weird」，難免都帶些負面的含意，其實它和現代企業高階主管琅琅上口的「變革管理」不過是一水同源。

搞怪，是變革的暖房

有效的變革來自於誘導，而不是推動。由上向下推動變革必然事倍功半，如果能夠創造一個鼓勵變革的環境，星星之火最後真的可能燎原。變革最難奏效的環境有如一片冰原，火種才點即滅，任何僵化的組織結構，過度明確的工作職權劃分，合議（consensus）式的決策模式，一成不變又恐懼失敗的保守心態，講究從眾（conformity）避免一人出頭的行為準則，這樣的環境，不但不會產生發自內部的變革，外來的變革也難以存活。難怪克特．盧文（Kurt Lewin）所提倡的變革三部曲中，第一部就是解凍（unfreeze），先得融解慣性和阻力，製造一個鬆軟肥沃的溫床，第二部的變革（change）才能著床，變革計畫才有機會落實。（第三部是再一次的凍結，變革深化後，才能發生久遠的作用。）

搞怪不就是最有效的解凍？當一個組織能夠容忍奇裝異服，主管面試新進員工的時候，桌上放兩杯伏特加，新進員工接受新生訓練後，可以選擇留下來或拿兩千美元走路（這些都發生在Zappos），各種非傳統的怪異措施都能被採納，不同的聲音不急著蓋過對方，創意自然可以自由流通。若能如此，變革就像一個現代開放城市的新移民，不但不會遭受排斥，最後還塑造了這個城市的新面貌。

然而任何一個組織能夠承受的亂度終究有個上限，即使在Zappos，它也只鼓勵「搞點小怪」（A Little Weirdness）。難就難在小到多大，就變成太過？標新立異過了什麼尺寸，只能稱驚世駭俗？亂到哪一點，就會失序？難能固然可取，可貴是否一定必要？

用敏銳分寸感，拋棄一成不變

這世界上最難的事，就是處理兩個衝突的觀念，運用兩股對沖的力量。由此不免想起香港中文大學劉笑敢教授在六四事件之後，經過幾年沉思，集結出的論文集：《兩極化與分寸感》（註一）。

人的心智有限，因果以及現象簡約化後，兩極化在所難免。非黑即白，不是左派，就是右派，牆頭草受到批判；非友即敵，要不就保守派，要不就自由派，中間分子失去了發言的麥克風。很遺憾，過去一、二十年，民智早就該開了，兩極化的趨勢卻越演越烈。

根據劉教授的想法，避免兩極化，需要有敏銳的分寸感。拿捏分寸感的第一個做法，就是在兩極之間，刻畫出更精密的尺度，解析度提高後，黑白二分法的觀點自然顯得粗糙，兩極之間多出了許多選項，彼此的差異也就不至於懸殊過大。分寸感跟儒家「執兩用中」的中庸看似接近，太過與不及之間，希望能夠找到一個平衡點；然而中庸是在一元價值的尺度上，扣其兩端而取其平均值，一元，仍然是一種簡約。

世間的任何事物，尤其跟人有關的，必然是多元的，而且隨著時空推移產生動態變化，再加上個體與群體間的互動，其間關係無比錯綜複雜；分寸感強調的，就是建立這種全方位的認知，拋棄一元化、僵硬、一成不變的價值取向。這好像一首交響樂曲，高音與低音產生和弦，弦樂與管樂豐富了聲音的層次，曲調表現了樂曲的個性；兩極化、一元取向、一成不變，不可能寫成一篇動人的樂章。

搞怪與優雅，變革與秩序，創新與傳承，這些概念看起來對立，其實不見得必然如此。企業的領導者掌握這些概念，可以像一位作曲家，調度各種樂器，和而不合，並行而不悖，作曲家創造一首樂曲的個性，不正像領導者打造一家企業的風格？

無論你是領導者或被領導者，從一到十，說說看，你的搞怪指數有多高？（這是 Zappos 對應徵者面試的必問問題。）

註一：《兩極化與分寸感》，三民書局（東大圖書）出版，一九九四年十二月。

赤子之心還在嗎？

人類的幼態時期很長，外顯的是沒耐心、缺少抗壓力等「幼稚表現」；但幼態延續也有極其珍貴的一面，那就是「赤子之心」，不算計個人毀譽，不預設立場，結果海闊天空，創造無限的可能。嬉戲與好奇，才是真正的青春之泉，源源不絕的創意來源。

亞歷山大大帝率軍東征，在離家鄉四千公里外的中亞建立亞歷山大城時，年二十七歲；諸葛孔明耕讀於南陽，因劉備三顧茅廬而出山相佐，同樣二十七歲；平民出身的鐵木真，受各游牧氏族推舉為蒙古乞顏部可汗時，恰巧也是二十七歲。我二十七歲的時候，研究所才剛畢業，在大學當個小講師。你二十七歲的時候，都在忙什麼？心裡想些什麼？

我們出生時，只能無助地躺著等人哺餵，七（月）坐八（月）爬，一歲之後才會走路，而初生小馬離開子宮一天之內就能四處走動，尋找母馬的乳房。同屬靈長類的猿類基因與人類九六%相同，可是三歲就長出第一顆恆臼齒，九歲長大臼齒（智齒），人類的時間卻要加長一倍。生物學家稱這種幼年期的特徵一直維持到成年期而後消失的現象為「幼態延續」（Neoteny），時間長短因物種而異。

嬰兒肥與彼得潘

即使同是人類，能繼續維持著幼年體徵的年齡也有明顯的個人差異，長牙、性徵、青春期發育前後差三、五年者比比皆是，有人臉上可愛的「嬰兒肥」甚至掛到二十歲。除了這些生理的幼年形態延續之外，心理受文化和環境的影響，幼態延續的差異更為明顯，不只個體與個體心理成熟年齡有別，社群與社群、世代與世代間的變化更是值得觀察。

工業革命初期的英國，工廠工人中半數皆是十八歲以下的童工，十二、三歲的幼童不在少數，幼小的年齡便面對冷酷的現實生活，無可選擇。反觀在二十一世紀裡，同年齡的青少年仍生活在家庭無微不至的卵翼之下。較諸亞歷山大、諸葛孔明、鐵木真當年，今天二十七歲的年紀，在政界不是個基層科員就是小助理，若在學界多半正孜孜矻矻於博碩士論文，在產業界則處處任人使喚，還在創造自己「被利用的價值」。

另一項幼態延續的重要指標乃是結婚年齡。二十年前，三十歲算晚婚，現在二十七歲便是早婚，生兒育女的年齡隨之推延，「當父母前都是小孩」，選擇婚而不育的年輕夫婦更是一年比一年多，處處都是現代的彼得潘。

幼態延續推遲有許多原因，二次大戰後一般家庭逐漸富裕，經濟能力得以負擔較長的兒童養育時間；民主國家各種社會福利政策建立了周全的社安網，提供青少年基本保障；少子化的趨勢，也讓父母更能夠「長期投資」在子女身上。此外，還有一個更根本的原因，就是知識經濟的崛起。在眾多因素中，這個趨勢也許最難逆轉，因為人類學習能力的進步，顯然無法超過知識累積的速度。

知識經濟與草莓族

人類文明中，最容易歷代累積的是事務性、技術層面、科學範疇內一驗百驗、一證永證的知識，像是相對論，或是圓周率的計算等等。二十一世紀過去十年內諾貝爾物理獎得主的平均年紀是六十八歲，但在一九一〇年代的十年間，平均年齡僅有四十七歲，那二、三十年物理史上的風華年代不會重現。相同年代的日本最後一位數學大師岡潔也曾無限感慨地預言，偉大的新數學原理難以再見，因為「橋太遠了」。

的確，當一座知識的山頂印上前人的足跡，下一個未知、有待探索的峰巔必然更高，登山營地（base camp）的高度也必須隨之推進。在知識經濟下，一代一代的白領階級，需要越來越高的學歷，越來越長的養成歷練，隨之產生的副作用，就是草莓族之屬的誕生。

人類的幼態時期最長，跟人腦的容量較大有關。人腦的三層結構裡，最底層的爬蟲腦控制本能反應，像是恐懼、攻擊、占有等心理作用，中間一層的哺乳動物腦掌管交友、擇偶等情感和社會本能，最外層的靈長動物腦才具有語言、概念、推理等理性能力。人的成長過程中，大腦的應用由內而外，在幼態延續期間，在內啟動的總是裡層的爬蟲腦和哺乳動物腦部分，對外顯露出來的便是「長不大的兒童」的種種「幼稚表現」，像是自我中心、不為團體著想、只圖立馬見效、不願犧牲現在換取未來；既沒耐心，缺少抗壓力，也不知如何應付挫折，這些都是對草莓族的標準批判。

周伯通與畢卡索

然而幼態延續也有極其珍貴的一面，那就是「赤子之心」（因此有人將「Neoteny」翻譯成「赤子態」），如果幼稚是幼態延續的陰暗面、一項負債，赤子之心便是幼態延續的光明面、一項資產。因為同樣直接訴求於直覺和情感（爬蟲腦和哺乳動物腦），故能激發熱情，感動他人；不知算計個人毀譽，所以敢於雖千萬人吾往矣（其實心裡根本沒有想到「千萬人」）；不預設立場，結果海闊天空，創造無限的可能。

具有赤子之心的人永遠帶著一份嬉戲的心情、一雙好奇的眼神，就像《射鵰英雄傳》中的老頑童周伯通，老而不減淘氣，或者像愛因斯坦那張吐出長舌頭的頑皮相片，展現了他天才科學家底層的天真。嬉戲與好奇，才是真正的青春之泉，源源不絕的創意來源。

畢卡索曾說：「每一個小孩都是藝術家，難在長大後依然是一位藝術家。」他一輩子帶著赤子之心遊戲於色彩與線條之間，結果成為畫史上風格最豐富的畫家。好在赤子之心每個人本來都有，我們最好趕緊查看一下，如果還在，好好保存，千萬別把它弄丟了。

創造力的決勝起跑線？

開發腦力潛能來彌補年齡造成的退化，
絕不是一個不可能的任務。
更何況創造力的來源一部分是聯想、知識，以及人生閱歷，
這些條件往往隨著年齡的增加而更為豐富。

經濟再發達，教育再普及，人們尋找英雄、塑造偶像的渴望不曾稍減。從比爾・蓋茲到郭台銘，林義傑到老虎伍茲，從麥可・傑克森到周杰倫，朱棣文到史蒂芬・霍金，當我們日常遭遇的人物越平凡，我們越需要找出成功的榜樣。他們累積的驚人財富成為我們的胡蘿蔔，百折不撓的毅力轉化成我們的激勵，他們的隻言片語擺在案頭當座右銘，這個社會有許多人嘗試分析出這些人成功的秘訣，更多人努力複製，希望自己有朝一日也

能像他們一樣登上成功的頂峰。

人再如何生而不平等，現代社會提供的環境機會倒還算相對的平等，因此，當人生競賽的槍聲響起，如何能夠脫穎而出？有沒有必勝的策略？

一萬小時或者十年

頂會說故事的暢銷書作家麥爾坎・葛拉威爾（Malcolm Gladwell）繼《決斷2秒間》（*Blink*）、《引爆趨勢》（*The Tipping Point*）之後，二〇〇八年出版了《異數：超凡與平凡的界線在哪裡？》（*Outliers: The Story of Success*）（註一），果然再造轟動，名列暢銷書排行榜不墜。在這本書裡，作者研究了許多擁有極度成就的人士，最後得到一個重要的結論：一個人要出類拔萃，成為某一種專業頂尖的人物，他（或她）必得在這個專業裡投入超過一萬小時的時間。

一萬小時是個什麼樣的概念？現代人一年全職工作時間大約是兩千小時，一萬小時相當於五整年的時間。五整年心無旁鶩，放棄其他一切，專心一意只做好一件事情。就像比爾・蓋茲從初中七年級到哈佛大二輟學開公司，七年裡沒日沒夜地寫程式，累積的時間遠遠超過一萬小時；又如披頭四在一九六四年「入侵」美國舉世轟動之前，樂團已經成軍七年，其中在一年半內五次前往德國漢堡賣唱，光在台上演奏就達兩百七十場，一萬小時以上幕後的訓練和幕前的淬鍊，終於造就了一九七〇年代永不隕落的音樂巨星。

葛拉威爾的「一萬小時法則」不免讓人聯想起管理大師彼得．杜拉克（Peter Drucker）的「十年律」，他主張一個人精心研究某一項主題，十年功夫便可以斐然成家。他說到做到，自己以身示範，一代管理大師居然出版過一本研究日本繪畫的專業書籍，還在他教管理的大學開起賞析日本繪畫的課程。

無論十年或者一萬小時，都是一段極其漫長的時間。在人生七、八十年的壽命中，是否有所謂黃金十年？過此之後歲月老去風華不再？

選擇你的黃金十年

的確，許多技藝的學習必須趁著青春年少，據說學習音樂最佳的年紀是四到十六歲；語言學家認為十二歲之後學習的外語便無法像使用母語般純熟自如；對運動員而言，年齡是體能的天塹；物理學家曠世的發現多在三十歲以前完成（牛頓二十二歲發現地心引力，愛因斯坦二十六歲提出相對論）。人類天賦的學習能力、記憶力、運用肌肉的技巧隨著年齡增長而退化，這是個無法逆轉的冷酷事實。

但是近年來許多學者的研究提供了另一個角度讓我們來思考這個問題。以人類智力活動最寶貴的創造力來說，學者用統計觀察，兒童時期的創造力固然最為旺盛，但是從五歲到七歲已經迅速減少四〇％，減少的原因主要來自於外在因素，例如接受學校教育、開始論理式思考等等，可見慣性式僵化性的思考比年齡退化危害更大。現代人離開學校進入職場後學習的密度大為降低，事業稍有成就，就不斷重複應用自己成功的經驗，腦細胞缺乏新的刺激，創造力怎能不退化？

大腦潛力無窮，雖然我們只使用到一〇％大腦容量的說法沒有科學根據，但是如果我們每一個人深刻觀察自己，就不難發現，咱們的大腦處在怠車或者散亂的狀態居多。因此，開發腦力潛能來彌補年齡造成的退化，絕不是一個不可能的任務（至少在某個年齡之前）。

更何況創造力的來源一部分是聯想、知識，以及人生閱歷，這些條件往往隨著年齡的增加而更為豐富。有一個研究顯示：一般人創造的高峰雖然是三十至四十歲，卻有第二高峰重現在六十五至七十歲的年齡層。這個研究同時還有以下有趣的發現：

一、創造活動的數量雖然隨著年齡增加而減少，但是品質並沒有降低。

二、人與人之間創造活力高低的差異，遠超出年齡的差異。創造力旺盛的人可以持續到其他人早已退休無所事事的年紀。

三、大器晚成的人同時也推遲了腦力退化的時間。

四、創造活力強的人，人生多半抱持著更為正面的態度（這一點孰因孰果很難推斷）。

如此看來，黃金十年可以是人生任何一個階段，六歲不算早，六十歲不算晚。達文西完成「蒙娜麗莎的微笑」時年五十一，齊白石、張大千、畢卡索在七、八十歲高齡仍新作不斷；美國宗教學泰斗休斯頓·史密斯（Houston Smith）七十五歲以後出版了七本書，綜觀各種宗教；大陸文人學者蕭乾八十歲開始翻譯喬埃斯（James Joyce）號稱天書的《尤利西斯》（*Ulysses*），歷時四年，完成一百萬字的皇皇鉅作；前面提到杜拉克出版日本繪畫專書，那時候他已經高齡七十，一直到他九十六歲去世，二十餘年裡居然出版了二十本以上的管理書籍。

所以說，真把人生當成一場競賽，不但槍聲不知何時響起，終點線也不知拉在何處，一群人跑著跑著，有些人衝得快，後來歇下來；有些人落了隊，早早退下場；也有些人跑著跑著，到頭來發現原來這是一場自己跟自己的競賽。

註一：《決斷2秒間》中譯本，時報文化出版，二〇〇五年五月；《引爆趨勢》中譯本，時報文化出版，二〇〇五年六月；《異數：超凡與平凡的界線在哪裡？》中譯本，時報文化出版，二〇〇九年一月。

錫蘭式的邂逅

Serendipity 意指無預期、意外的發現，
我們或可稱它為「偶發力」。
然而，過度的目標導向、過於清楚的行動準則等，
雖然是「專注」的美德，卻是阻礙「偶發力」的天敵。

今天的斯里蘭卡（Sri Lanka）從前叫錫蘭，古時候阿拉伯世界稱它為 Serendip。傳說中錫蘭國王有三個兒子，聰明正直，國王延請了全國最有智慧的學者，傳授兒子最好的學問，然後吩咐三個王子遊訪世界，體驗人生，增加歷練。三位王子本來志不在尋找寶物，卻用他們的知識和機智，沿途有不少意外的發現，也幫助了許多人。他們的遊歷被寫成一本傳說故事《錫蘭三王子歷險記》（*The Three Princes of Serendip*）。十八世紀中，故事傳到英國，

被一個喜歡寫信的英國貴族借用，創造了一個新的英文單字—— serendipity。

Serendipity 不只找不到一個相對應的中文辭彙，在英語世界裡，也是一個很難對付的單字。有一位學者為了它，寫了一本傳記，從來源談到流變；它的最初一百年無人知曉，一百年後，知道它的人從文學界逐漸擴散到科學界，甚至於商業界，到今天知識分子用它炫耀自己的學問淵博；縱然如此流行，在二〇〇四年，它還是被選為最難翻譯的十個英文單字之一。

Serendipity 一詞主要的意思是沒預期、意外的發現，在中文裡有巧遇、邂逅的含意。但這個意外發現，並不是瞎貓碰到死老鼠，或者是醉漢半夜在街口的隨機漫步；它是一個機靈的心智（一如三位錫蘭王子既聰明又博學），經過刻意的尋覓，偶然撞到原本毫無預期、一無所知的新發現。這種「錫蘭式邂逅」的經驗，對我們其實並不陌生，無聊時拿著遙控器胡亂轉台的電視迷、沒事愛逛百貨公司的時髦女性、老愛上書店的愛書人及流連在舊貨攤間的收藏家，都在體驗 serendipity 的魅力。

偶發力＝運氣或靈感？

在知識經濟時代，創意掛帥，serendipity 的含意從現象的描述，擴充為能力的培養，更成為個人或組織開發創意的一個來源，因此有人把它翻譯成「偶發力」。這個字眼跟原文 serendipity 一樣，完全無法令人望文生義，不過為了行文方便，在此姑且權用。

科學發展史上，若缺少偶發力，不知有多少歷史需要改寫！牛頓要不是常常坐在蘋果樹下，或是蘋果始終沒從樹上掉下來，不知道他後來會不會悟出萬有引力？英國生物家佛萊明（Alexander Fleming）若沒出去度假，或是沒忘記把培養皿蓋上，發現盤尼西林的人可能不是他；一九四五年美國工程師史賓塞（Percy L. Spencer）站在一台雷達的磁電管旁，居然發現口袋裡的巧克力化了，隔兩年，他便發明了全世界第一台微波爐。類似意外的發明或發現，足夠寫好幾本書。

然而偶發力和純粹的運氣究竟不同，多少人曾經被樹上落下的蘋果打到頭，卻沒人想到地心引力，你我若是口袋的巧克力化了，必然趕緊就把它吃進肚裡。運氣，總是對有備而來者青睞有加（Chance favors the prepared minds）。

偶發力跟凌虛而降的靈感也略有不同。「感時花濺淚，恨別鳥驚心」，國破家殘的傷慟，春天的花鳥也為之感哀，這是心與境的對白，有偶發力的作用；「抽刀斷水水更流，舉杯澆愁愁更愁」，這種靈感渾然天成，多是心靈的冥想，不像偶發力，靠外境的刺激而生。科學史上，偶發力的例證多半發生在化學、醫藥、生物，其次是物理，最少的是數學。歸納來說，以實驗為研究方法、具象的、跟人接觸的，偶發力往往舉足輕重；研究理論、抽象的、一個人可以完成的，則更需要靈感。

跟靈感相較，偶發力比較容易訓練。加強偶發力的方法有兩個主軸方向，一是增加邂逅新鮮事物的機率；其次，要培養一雙慧眼，在眼花撩亂的眾多新鮮事物中，必須能在第一時間洞察出獨特的訊息，即時掌握。

邂逅不會自動上門

增加巧遇的機率，得先勇於嘗試新鮮事物，相反地，如果專注在熟悉的事物，則能得到更高的效率，兩者之間難免需要取捨。打個譬喻，待在家裡最舒適，但要見識世界，只有花錢花時間出門旅行。決定出門後，可以選擇跟著旅行團，一切不必花腦筋，吃、住、車程全安排妥當；也可以自助旅行，行前不但費神費事，旅途中還可能提心吊膽。即使是自助旅行，也有人緊守行程，不容任何更動；有的人卻隨興所至，走到哪玩到哪。形式越自由，目的地越不清楚，遭逢奇遇的機率越高，關鍵在每個人容忍不確定性的門檻高度大不相同。

谷歌（Google）允許每一位員工，花二〇%的時間在與工作沒有直接關係的創新想法，它也鼓勵各部門把自己遇到的棘手問題，公開有獎徵答。據說有一回，某個財務部門提出束手無策的問題，幾個工程師雖然對財務一無所知，卻只用一個週末時間便找出解決方法。跨界聯手或異類結合，是開發偶發力的一個重要方法。學第二種外國語言，培養業餘的興趣，換一家公司或部門工作，交幾個其他行業的朋友，都能增加偶發力。

碰撞才有機會，刺激才有火花。要增加偶發力，除了增加碰撞的機率，碰撞的品質更為重要。矽谷傑出的創業環境，提供了無數高品質的碰撞機會；多少新創公司的創辦人，在飛機上碰到第一位投資人；無數商業計畫書的第一份草稿，寫在餐巾紙上；餐廳、酒吧、咖啡店、各種展覽會、高峰論壇、研討會，各路英雄摩肩擦踵，彼此交換名片和最新訊息，處處迸發著高品質的偶發力。

機會留給有緣人

有一位心理學家曾經做過一個實驗。他發給受測者一人一份報紙，要他們數一數報紙上有多少張相片，每一個受測者在幾分鐘內很快地回答出正確的答案。接下來，他又要受測者留意報紙上有什麼特殊的訊息，大家才發現，原來在報紙的第二頁，清清楚楚地寫著：「本份報紙共有四十三張相片。」不僅如此，另一頁上還寫著：「見此消息，可向主試者領取二百五十美元。」每一個人都太專注於完成任務，卻無人擁有領取這二百五十美元的運氣。

偶發力的天敵，就是過度的目標導向，過於清楚的行動準則，和不打折扣照表操課的執行能力（換成需要專注的場合，這些可都是美德）。偶發機會敲門的時候，一個人得先聽到，願意放下手邊工作走向門口，然後敞開大門。

研究知識經濟的學者，主張現代人除了顯性的專業知識外，還必須具備深厚的「潛知識」（Tacit knowledge），長期浸淫後養成的敏銳直覺，加上難以言傳的判斷能力，使人得以聽到敲門的聲音；涵養一份輕鬆開放的態度，不斤斤計較，接受不確定性和種種可能，才能吸引人走向門口；最後敢於面對未知，不處處惦念成敗，終於讓一個人勇敢地打開大門。

王國維所樂道的人生第三境界：「眾裡尋他千百度，驀然回首，那人卻在，燈火闌珊處。」那人是誰？在尋他之前就知道？還是找到之後，才恍然大悟原來正是此人？每一個人有各自的追求，不知他是誰，卻仍樂在眾裡尋「他」千百度的人，可能是偶發力最忠誠的信徒了。

與命運一搏

／一搏

機會只給準備好的人，但許多準備好的人卻也苦等機會不來。
人們面對「命」、「運」的陰影時，難免猶疑而退怯，
結果種下了失敗的種子，
難怪邱吉爾在最後一次演講中，傳達的訊息是——「永不放棄」。

到拉斯維加斯賭場賭上一把的有兩種人：一種人賭手氣，另一種人賭技術。即便是賭手氣的人，相信吃角子老虎純屬隨機的人也為數不多，許多人認為冥冥之中存在一種不為一般人所知的規則，或者有一股神秘力量能夠影響機率。（不信請你回想上一次玩吃角子老虎時，是否嘗試用各種方法來拉出大獎？）賭技術的人則靠過人的記憶力、精準的機率計算，輸小贏大，箇中高手倒真能在賭場中無往不利。

根據著名麻省理工學院黑傑克隊（MIT Blackjack Team）的故事所拍成的電影《決勝二十一點》（21），反映了產生某事件的機率如果不是完全隨機（下一張牌跟以前出過的牌有關係，例如出過三張A後再出一張A的機率變低），人的腦袋就有用武之地。

人人都需要幸運之神

運動競賽與賭博正好相反，它的規則設計儘可能減少隨機的可能。所有運動選手必須靠實力取得勝利，培養實力別無秘方，唯有仰仗不斷的練習。根據統計，一位參加奧林匹克馬拉松長跑的選手，平均經過十二年、每星期九十英里風雨無阻的苦練，才能進入全球矚目的奧林匹克大賽。我們不難想像，滿懷奧運夢的準選手不計其數，能夠通過十二年孤獨而漫長的體力和毅力煎熬的人，恐怕百中不出其一。在運動競技場裡要能脫穎而出，實力是唯一的王牌，僥倖獲勝的成分微乎其微。

話雖如此，「球究竟是圓的」，許多著名的運動選手雖然已經擁有大家公認的堅厚實力，心裡卻常緊抱一些迷信，期望幸運之神能夠在關鍵時刻加持。即便是睥睨球場的老虎伍茲，也總在星期天穿上紅襯衫，因為紅色在泰國（他母親的國家）是吉利的象徵。

經營企業或個人生涯像賭博或競技？從遊戲規則來說，賭局或運動皆有訴諸大家都同意遵守的規則，過程中產生任何爭執，彼此都得服從裁判最後的判決。企業或人生可有遊戲規則？若有，最多也是自家人訂定自家人遵守的行為準則，哪有大家一致接受的通用規則？再說，賭局與賽局都是一個封閉的系統，在特定的時間、空間，與特定的對手對抗，彼此只能運用固定的資源（如一定數目的球員），採用少數被允許使用的手段（如足球只可用腳和頭，不可用手），求取勝利。

反觀，不論企業或個人都生存在一個瞬息萬變、人來潮往極度開放的大環境裡，在這大環境中，企業或個人所能掌握的僅只是自家有限的資源，這點資源和其他企業跟個人的資源總和簡直微不足道，更何況各有各的遊戲規則和算計。當我們面對這樣一場既無遊戲規則、又完全開放競爭的賽局時，不免要問：究竟什麼力量在決定我們得以成功與否？

贏的條件可知，亦不可知

中國人喜歡說：「一命二運三風水，四積陰德五讀書。」如果成功的因素照這個排比，做人（積陰德）做事（讀書）的功效簡直是敬陪末座。風水似乎可以調整，但是為什麼「左青龍右白虎」會跟個人升遷扯上因果關係，恐怕也是信者自信，疑者恆疑。命和運的作用究竟深淺，這中間有一部分屬於宗教和個人哲學的層次，例如現代人常掛在嘴上的「性格決定命運」，信服的人因此主張命運可以改變，可是相信宿命的人卻偏偏要回過頭來說：「命運決定性格。」

相信一命二運三風水的人，好像到拉斯維加斯拉吃角子老虎的賭徒，相信四積陰德五讀書的人，好比是參加比賽的運動員，賭徒有輸有贏，運動員勝負乃兵家常事。選擇做一個賭徒（相信命運）或者一個運動員（相信自己），固然是個人的抉擇，但是我們應當繼續追究：不同的選擇，是否會影響到成功的機率？

賭局沒有記憶，例如吃角子老虎，每次拉桿的結果彼此獨立，沒有任何累積的效果；運動則不然，今天多一小時的練習，就多增加一分實力，為明天的勝利增加一分機會。從這個角度觀察，企業或人生的經營一如運動競賽，前後事件有它必然的因果關係和累積效果，因此功必不唐捐，凡走過必然留下腳印。同意這個邏輯的人，必然贊成採取「四積陰德五讀書」態度的「運動員」，會比相信「一命二運三風水」的人有更高的成功機率。

人當然生而不平等，家世才智容貌性格各個不同；機會雖只給準備好的人，許多準備好的人卻也苦等機會不來。「命」事先無法選擇，「運」到當頭也無從控制（這就是為什麼再傑出的運動員也有他不為人知的迷信，然而迷信歸迷信，他絕不會在平日的練習打折扣）。人們面對巨大的「命」、「運」陰影時，難免猶疑無助因而心生退怯，結果種下了失敗的種子，難怪邱吉爾在最後一次演講中傳達的訊息是——「永不放棄」（Never Give Up）。不放棄，便是與命運一搏的最後宣言。

成功是每一個人追求的夢想，有趣的是，大家都問如何能夠成功，卻很少人追究什麼是成功？彼得・杜拉克就曾經提醒眾多逐夢的人：若不知道何謂成功，如何能夠成功呢？

文創，不僅需要掌聲

富一代會吃，富二代會穿，富三代會送禮。
一個社會精神文明的涵養有它不斷深化、沉澱的次第，
文化的高度與文創的廣度之間的關係有如金字塔，
不追求高度，不會有廣度。

十幾年前，我曾延請一位在資訊界擁有輝煌經歷的高級主管加入經營團隊，他的工作表現非常出色，幾乎無懈可擊，只是衣著不大注意打點，襯衫頭兩顆釦子經常敞著。過了兩三個月，我終於按捺不住，客氣地問他：「不扣第二顆釦子，這是你刻意的風格呢，還是你常忘記？若是風格，我完全尊重，若只是沒留意，讓我提醒你忘了扣釦子。」

一個人不自覺的習慣或是出自品味的抉擇，久而久之便形成他的風格。但是一個組織或一項產品的風格，必然是精心設計的結果。

文創，從品味、風格到時尚之路

現代商業競爭的角力點，近年來逐漸由硬實力轉向軟實力。創造消費者適悅的消費經驗，勝於追求生產效率；產品功能固然重要，究竟不敵令人怦然心動的美觀外型。過去歐美亞三大洲的分工，亞洲致力於效率的創新，美洲在科技創新遙遙領先，歐洲則在形式創新上擁有悠久的傳承。隨著亞洲快速的經濟發展，和內需市場的擴大，亞洲產業升級由硬而軟，創新的主軸由效率、科技而轉向形式，這是一個良性且必然的趨勢。這幾年各地文創產業園區如雨後春筍，風格力競爭或美學經濟的呼籲甚囂塵上，都是令人鼓舞的發展方向。

然而開發風格競爭力和增加生產競爭力完全不同，後者是一種可複製、績效可預測的投資，工廠裡只要架上最新、最自動化的生產線，生產力的增加立竿見影。至於風格，本來最忌諱的就是一窩蜂人云亦云，更何況美學與經濟各有不同的追求，文化和文創發展的仰角也自有其高低。

文化可以寂寞，文創卻需要掌聲。文創的艱難之一是，這條從個人品味到產品風格到社會大眾趨之若鶩的時尚之路，其間曲折無人能夠掌控，終點也沒人可以預見。

論當今經營風格最為成功的企業，非蘋果電腦莫屬，蘋果的成功幾乎完全來自賈伯斯（Steve Jobs），賈伯斯的招牌是禪風般的簡約風格，這個美學訓練他自己歸功於大學一門美術字體的課程。蘋果的成功大家嚮往，成功的路徑似乎清晰可辨，然而看不清楚的是，需要多少個失敗的賈伯斯才能栽培出一位成功的賈伯斯？什麼樣的社會氛圍才不會早早扼殺了年輕的賈伯斯？如何建立一種組織文化，能夠在信任一個人的獨特品味和掌握社會脈搏之間取得微妙的平衡？

風格，需獨特而有底蘊

風格最重要的成分是獨特，獨特必定得另闢蹊徑，選擇前人未曾走過的、沒有路標的幽林小路。畢卡索說：「吃番茄時我看番茄一如眾人，畫番茄時我跟眾人皆不相同。」獨特縱然追求標新立異，卻不能一無所本，阿姆斯特丹梵谷美術館在寬闊的照壁上用各國語文重複梵谷給他弟弟的忠告：「要多進博物館（Go to the museum as often as you can）。」畢卡索也說，他的每一幅畫裡都有前輩畫家的影子。建立風格，不只是創新，也要有底蘊。

既曰獨特，起初難免受到懷疑和排斥，越是強調團結和諧的社會，獨特越難以存活；反之，一個社會能夠容忍亂度，接受失敗的嘗試，獨特的風格才有呼吸的空間，才有時間擴散，贏得足夠的掌聲。

文創的艱難之二是，創意沒有經濟規模。二十人的創意團隊不見得比兩個人的創意小組更有創意，六個月的開發專案也不可能縮短成兩週。創意的產生既不是全盤複製的無性繁殖，也不能依賴耳濡目染的近親交配，最難得的創意有如基因突變，其來雖然有因，其過程和結果卻隨機而不可預測。因此，文創一如有機精緻農業，不但無法以機械方式大規模耕作，還多少得靠天吃飯。

時尚，在短暫與永恆間烙印

各種不同風格百花齊放，競相爭取青睞，其中稍有成功者即遭受抄襲或模仿（模仿是最真心的讚美），更為成功者成為時尚，領一時風騷，無奈掌聲越多，時尚獨特的魅力也隨之一點一滴消失。當流行的潮水退去，某些時尚猶如留在沙灘的腳印，潮去無痕；

某些時尚卻能帶著時代的印記走入人類的集體回憶，像是十八世紀華麗的巴洛克風格，十九、二十世紀之交充滿波動線條的新藝術（Art Nouveau），或是二〇年代反映資本主義自信的裝飾藝術（Art Deco，沿上海外灘的許多西式建築多半屬於這一時期的風格），都已經成為人類文明的資產、世世代代反芻的食糧。

現代主義的拓荒者波特萊爾（Charles P. Baudelaire）曾經如此主張：構成美的一種成分是永恆的、不變的，另一種成分是相對的、暫時的。文創的艱難之三便是，永恆與短暫這兩種成分如何調配？追求永恆便難以掌握時代脈搏，緊抓時代牢牢不放終究會時過境遷，若調配得宜，成功的文創可以創造時尚（vogue），不然，頂多造就一時的熱潮（fad）而已。

以上述說發展文創產業的種種艱難，不是噓聲，更不是看衰文創，不過提供一些「思之食」（food for thought）罷了。家裡老人家曾說：「富一代會吃，富二代會穿，富三代會送禮。」一個社會精神文明的涵養有它不斷深化、沉澱的次第，文化的高度與文創的廣度之間的關係有如金字塔，不追求高度，不會有廣度。

業餘主義，專業之外的新活力

「專業」的重要毋庸置疑，
術業有專攻是現代人「安身」社會的基礎；
對於橫向廣度的涉獵，甚至在專業權威下仍保有獨立思考與判斷的自覺，
這些「業餘」的素養，也是現代人「立命」之所在。

一萬年前，居住在波斯灣與地中海間新月沃土（Fertile Crescent）的先民發現儲藏穀物種子的妙用，不但可以賴之過冬，翌年可以用來播種，多餘的分量還可以彼此交換。儲藏，是人類財富概念的開端，當先民社會具備累積財富的機能，社會組織便開始垂直發展，既產生了社會階級，也造成士農工商的原始分工雛形。這不但是人類文明的起源，也是專業化的濫觴。

專業，成為人的身分

工業革命年代，亞當．史密斯（Adam Smith）進一步主張分工是提高生產最大的力量。工廠主階級的產生，促進了資本（財富）的累積，更加速了專業化的發展。勞動人口從室外勞動轉移為從事室內勞動，同時除了傳統的肢體勞力階級外，也因應商業組織的發展產生了運用知識的勞心階級，例如工程師、會計師、律師等等。二十世紀後期，知識經濟成為第三波推動經濟成長的動力，現代資本主義下組織日益龐大，商業活動更形複雜，任何組織要能有效運作，並且在激烈的競爭環境中脫穎而出，唯有進行更精細的分工，要求每一組織成員具備更特殊、更專業的知識與技能。

今天受薪階級可以說九九％都得具有某項專業技能，以此換取薪資所得；因應此一需要，高等教育體系也以培養專業人才為宗旨。現代社會裡，沒有任何專業技能的個人，不但維生困難，甚至於面臨社會角色定位的危機。（誰的履歷表或自我介紹詞裡，不在第一時間內說明自己是某某「專家」，或者具有合格證照的某某「師」？誰的名片不用顯著的位置標示反映自己專業的職稱或學歷？）

二十世紀初，人類另一項主要的活動——運動，也在資本主義的操作之下，成為部分具有運動天分者的專業技能。從此專業與業餘更是分道揚鑣，業餘成為欲求專業不成之後不得已的選擇。在專業耀眼的光芒下，人人追求專業，努力培養專業，一切成就以專業為衡量基準，業餘成為次等、不入流、不登大雅之堂的同義形容詞。

在狹義的相對標準上，業餘的水準當然無法跟專業相提並論，但是經濟分工過細，知識見解因過專而狹隘。在新的經濟時代裡，業餘甚至於業餘主義（amateurism）的功能也許值得重新檢視。

專才＋通才，業餘的成就更亮眼

所謂專業知識，其實不過是一種人為的知識分類。以科技知識為例，科學發展初期，各學科各有專攻，彼此交集有限；隨著科學知識的累積，新的領域往往落於傳統學科之間，例如奈米技術、腦神經與資訊工程、生物環境工程等等。甚至科學、社會、人文、藝術之間許多對話，新觀念的激盪，更完全無法在傳統專業分類的架構下進行。未來的知識分子或者知識工作者所需要的知識技能，必須要有T型的深度與廣度。T的垂直線代表對某項專業的專精與深入，水平線則代表相關知識領域的寬度了解，甚至不同領域的涉獵。深度與廣度，或者所謂的專才與通才，正如金字塔，底部越要能寬廣，越能堆積出它的高度。

歷史上卓然成家的人物，在他的專業之外，往往在業餘的領域也有傑出的成就。古典物理之父牛頓，發明了微積分，運動力學三定律開始了物理學的新紀元；他對於基督教《聖經》的經文和早期基督教的發展做過相當深入的研究，並且著有專書遺世。

達文西為不世出的奇才，他為後世留下的名畫「蒙娜麗莎的微笑」、「最後的晚餐」，象徵了文藝復興黃金時期的藝術頂峰；他同時也是一位傑出的工程師，曾經設計過飛行器、潛水艇、機器人。他為當時鄂圖曼帝國設計了一座幅寬兩百四十公尺的大橋，橫跨伊斯坦堡金角灣，中間沒有一根支柱，當時的帝國蘇丹當然不敢採納如此大膽的設計！一直等到二〇〇六年，土耳其政府才正式決定按圖施工，可見五百年前的設計居然能夠通過現代力學結構的檢驗。

美國開國元勳及第三位總統傑佛遜不僅撰寫美國獨立宣言，也是一位作品斐然有成的建築家，還當過近二十年美國哲學學會的會長；然而讓他最醉心的業餘嗜好卻是園藝，他自稱政治生涯「純屬意外」，並自許自己「對國家最大的貢獻，就是為它的文化增添有用的植物」。

歷史上還有許多人物以他業餘的成就名聞後世，他的專業反倒不為後人所知。例如提出「費瑪最後定理」的費瑪（Pierre de Fermat），他的專業其實是位律師；普里斯利（Joseph Priesly）原本是一位牧師，卻發現了二氧化碳和光合作用。最著名、最有成就的業餘發明家應該算是富蘭克林，他貴為美國開國元勳，在政治上享有崇高地位，還擔任過美國駐法大使，然而全世界的小學生可能只知道他用風箏收集電荷的故事。

專業以外的活動，無法估量的經濟貢獻

在經濟活動裡，由於業餘性質的活動往往不牽涉金錢交易，或者無法用適當的金錢單位衡量，因此在各種經濟指標裡，例如平均所得、國民生產毛額（GNP）等等，都無法將非金錢式的業餘活動對於經濟的貢獻計算在內。但是許多主流經濟學家，例如諾貝爾經濟學獎得主蓋瑞．貝克（Gary Becker）和阿瑪狄亞．森恩（Amartya Sen），一致主張，工作時間以外的活動（也就是業餘）對經濟福祉的貢獻不容忽視，而且越先進的國家，其重要性越高。

即使沒有明確的數字支持，現代社會裡至少有三類業餘的活動，對於整體經濟具有明顯貢獻：

個人休閒時間的使用：固然許多休閒活動，如旅行、看電影、享受美食等是服務業經濟的主要收入來源，但也有許多休閒時間花費在閱讀、聽音樂、運動、演奏樂器、繪畫、園藝，甚至與家人朋友相處等非交易式的活動上。這些活動固然不牽涉金錢交易，因此不直接對經濟造成貢獻，但它是否因為能影響正式工作時間的生產力而間接地對經濟做出貢獻？任何人都會毫不猶豫地回答是。事實上工作時間與休閒時間的分配，不只是國家勞工政策的一項主要議題，也是關心員工福利和團隊效率的經營主管經常思考的問題。

家庭勞務：固然現代社會裡單身的時間日益加長，單身的比率也逐年提高，但家庭畢竟是構成社會最重要的單位。維持家庭的許多基本活動，像煮飯、洗衣、清潔，無論如何高度自動化，總是需要時間，更何況許多無法自動化的「家務事」，如關愛、子女的撫養與教育、疾病時的看護、對所有家庭成員提供的庇護與安全感等等，如果有人嘗試計算這些勞務的價值，一位全職在家的家庭主婦，她的勞務價值可能超過整日在職場賣命的另一半。「愛，就是對一個人提供勞力服務。」家庭勞務本質瑣碎、重複、永無盡頭，因此對於家庭勞務的參與、分擔、協調，和對家庭勞務價值的認同，不但是良好的兩性關係基礎，更是發揮家庭核心價值的必要條件。

社會公益活動：二十一世紀主要的經濟發展趨勢之一，將是非營利組織的崛起，以彌補或取代政府部分功能。除少數全職工作人員外，非營利組織必須依賴大量業餘義工或捐獻者出錢出力。這些業餘的活動雖然不包括在任何GDP的統計數字中，但是它對協助弱勢團體取得較多資源，加強疾病的預防與治療，減少貧富差距，保護自然資源，提倡文化藝術等等的貢獻將會越來越重要，也因此促成了一個穩定、和諧、平衡發展的社會。邱吉爾說：「人靠獲取以維持生計，但因給予而使生命具有意義。」獲取仰仗一個人的專業，給予卻是大多數人的業餘。專業與業餘之間的權重，確實是一個值得深思的課題。

Web2.0，模糊專業與業餘那條線

大部分人最引以自豪的多是專業上的成就，以上種種業餘的活動似乎只是聊備一格，做為生活中的補白。殊不知現代人平均壽命顯著延長，在專業的工作崗位退休之後，往往

還有二十年甚至更長的活躍時期，這一段智慧最為成熟的時間幾乎占據一個人生命期的四分之一乃至三分之一，如果純為補白，未免太過浪費。許多行有餘力者已早做準備，以發揮退休生涯的最大效益，從前可有可無的業餘活動反倒成為生活重心之所寄。專業與業餘之此消彼長、孰先孰後，倒是值得鎮日在職場頭出頭沒的所謂專業人士三思。

專業與業餘之間本來沒有涇渭分明的區別，Web2.0的興盛，提供眾多業餘者許多大顯身手的舞台，更模糊了二者之間的界限。YouTube使人人可以成為製作人，名氣唾手可得，誰在乎熱度僅只一分鐘；維基百科（Wikipedia）的範圍無所不含，無論專業或業餘，任何人都可以提供他的見解和觀點；各種部落格，只要有時間，每人可以擁有屬於自己的發言頻道。

專業與業餘既難以分界，品質自然參差不齊，良莠參雜。有人不免憂心，認為這種業餘充斥的現象，終究是文化的異端，遲早會腐蝕我們文明的基礎（註一）。當然有更多人認為這種百花爭放、百鳥齊鳴的現象，能夠解放人們的想像和創造力，將人類文明推向另一個高峰。

以業餘主義對抗專業流弊

推崇業餘至極以致成為主義的，當屬以鉅著《東方主義》（*Orientalism*）（註二）聞名於世的巴勒斯坦裔學者薩依德（Edward W. Said）。薩依德在他的《知識分子論》（*Representations of the Intellectual*）（註三）中，闢專章討論專業人與業餘者。以他的觀點，知識分子在一個社會裡處處被包圍、勸誘、威嚇，這一切壓力主要的來源就是專業化。越專業化，就越受限於狹隘的知識領域，所見越小，就越流於形式主義，喪失透過主動抉擇而產生的熱情。越專業化，就越需要取得資格、執照，乃至認同，以證實自己的專業身分。這是一個同質化的過程，圈內人物使用相同名詞，採取類似觀點，終於對專業以外的知識或圈外人物產生隔閡或排斥。

專業化最大的流弊，就是專業化的追求者無可避免地流向權力或威權，或者被權力所僱用，或者無條件接受默認威權所擁有的特權。薩依德因而認為，一個知識分子應該維持一個業餘者的身分，才能置身事外，以中立的角度思考各項專業的核心議題，提出他不為利益所左右的獨特見解。

Amateur 一字源於法語「愛好者」，若非出自於喜好，一個人很難在專業之餘，將剩餘的精力投注在業餘活動上。專業的重要毋庸置疑，術業有專攻是現代人「安身」社會的基礎；在追求深度的同時，橫向廣度的涉獵，休閒嗜好的培養，社會公益活動的參與，體力型勞務的付出，對周圍所有提供無償式勞務的人的感謝與認同，甚至於在專業權威下仍能保有獨立思考與判斷的自覺，這些業餘的素養，難道不是現代人「立命」之所在？

註一：詳見 *The Cult of the Amateur*, Andrew Keen, 2008。中譯本《你在看誰的部落格？》，早安財經出版，二〇〇八年四月。

註二：《東方主義》中譯本，立緒出版，一九九九年十月。

註三：《知識分子論》中譯本，麥田出版，二〇〇四年一月。

第二部

決策密碼

解開心智的幽微密碼，深化領導者的思維。

學習的陷阱

追根究柢，人類不過是困於情感的動物。
我們通過聽聞、思維學習時，
感官和心理感受限制了我們的認知和判斷，
這些心理盲點，人人皆有，你我都難以避免。

知識經濟時代知識累積的速度加快，自然同時也加速知識的折舊，再加上外在競爭環境的劇烈變化，創新求變成為生存的必備能力，在這種內外交相變化的世代，既要適應變化，還得主導變化，兩者都需要學習。學習不只是一個人生涯中某一階段的任務，也不應屬於一個組織裡某一部門特有的功能；任何一個人或組織，都必須將學習變成習慣，內化為個人及組織的DNA，才有可能最後改變個人行為或組織運作。

學習的重要性毋庸置疑，然而該學什麼？如何學習才能有效？其中暗藏不少玄機和陷阱。學海無涯，吾生也有涯，究竟該學什麼？答案自然因人而異。

聽聞、思維到實踐，提升五心智

首倡「多元智力」的霍華德．嘉納，在二〇〇六年出版的《決勝未來的五種能力》（*Five Minds for the Future*）（註一）提出未來領導者（每一個人都是領導者，不是嗎？）應當具備的五種心智：專業心智、統合心智、創造心智、尊重心智和倫理心智。這五種心智裡，知識的累積、整理和創造，主要依靠前三種心智：專業、統合和創造心智。但是知識要能有價值，能對經濟或人類文明產生正面貢獻，並且改變個人和組織頑固的舊有行為模式，還得仰仗健全的後兩者心智：尊重和倫理心智。

學習的管道無非以下三者：聽聞、思維和實踐。對於提升嘉納主張的五種心智，這三種管道各有不同的功效：專業心智主要靠聽聞，特性是「知難行易」；統合和創造心智必須經過深入的思維，否則「學而不思則殆」；尊重和倫理心智則唯有透過實踐才算完成，屬於「知易行難」的範疇。

在這資訊爆炸的網路時代，大多數人往往不自覺地依賴「聽聞」做為主要學習的管道；過度的聽聞不僅對「實踐」毫無助益，還擠壓了「思維」的時間和空間（腦力）。一個人徒具形式知識和擁有真正智慧的分野，在於他的學習是否能夠從聽聞進而思維最後完成實踐，使得他的心智能從前三者（專業、統合、創造）的廣度，提升到後兩者（尊重、倫理）的高度。

談尊重或倫理心智的實踐，似乎宗教或道德氣味太重，這裡暫且聚焦在聽聞和思維過程中，時常遭遇的兩個陷阱。

學習陷阱之一：歸因偏差

人類雖然被稱為唯一具有理性的生物，追根究柢不過是困於情感的動物而已。當我們通過聽聞、思維學習的時候，我們的感官和心理感受，限制了我們的認知和判斷，這些心理盲點，人人皆有，你我都難以避免。

人們究竟從過去的成功還是錯誤裡學習？人性的心理盲點之一是「歸因偏差」

（Attributional Bias）——成功必然是由於自己的努力或優越的條件，失敗則歸罪於外界無法控制的因素。歸因偏差使人免於沮喪，蓄積再起的動力，卻也阻礙了人面對自己缺點的勇氣，無法從錯誤中學習（除非錯誤造成嚴重的心理創傷，導致一朝被蛇咬，十年怕草繩的制約反應）。

相對而言，成功的快意烘托出良好的自我感覺，許多優秀的素質得到正面鼓勵，輾轉增強，確實可以增加未來成功的機會。由於歸因偏差，大部分人無法從失敗學習，屢錯屢犯，難以轉敗為勝，或者只從成功中汲取能量，強化自己的信心。但是當信心從增強轉至頑強，以致忽視了每一個境遇的獨特性，仍然一成不變套用過去成功的公式，最後終將種下失敗的種子。

學習陷阱之二：倖存者偏差

人性心理認知的另一個盲點是：容易產生聯想，卻很難分辨因果關係（理確實未易明），結果錯把統計關聯性誤認為前後因果律。

坊間許多書籍介紹知名人物的成功，或是企業轉敗為勝的故事，書裡說起各種導致成功的人格特質，運用之妙存乎一心的經營策略，讀來頭頭是道，其實難得有脈絡明確可循的因果證明，多的是想當然耳的自然聯想，或者自以為是的後見之明。為何如此？一方面是前面提到的「歸因偏差」——成功的時候，「我」就是成功的原因，失敗的時候（通常不會有書籍報導），原因都出在「他」或「它」。另外一個原因就是氾濫成災的「倖存者偏差」（Survivor Bias）。

倖存者如何能夠倖存，和成功者如何能夠成功，屬於同一類的故事。倖存者的偏差有幾個來源，第一是，只有倖存者活下來講他的故事，人們也只願意聽他的故事，而不是下場悲慘者的哭訴。其次是，倖存者和非倖存者是否真有本質的差異？例如用統計歸納出偉大的公司具有的那些偉大的特質，是否應該檢驗失敗的公司可有同樣的特質？如果那些偉大的特質確實是因，而不僅是關聯性，那麼這些公司應該持續偉大。八〇年代享有盛名的管理名作《追求卓越》（*In Search of Excellence*）（註二）正好證明這個陷阱，它所舉證的九家卓越的高科技公司，二十年後沒有一家繼續享有成功的榮耀。成功，誰都可以事後解釋，但無人能夠事前預言。

倖存者偏差還有一個來源，只要樣本群夠大，隨機結果也能造就不可思議的成功。正如一位心理學家做實驗發現，數百人中會有一位具有超感能力（ESP），結果受到另一學者指正——這數百人如果每人隨機回答，總會有一、二人答對所有的題目。同樣地，股票市場分析師成千上萬，光憑運氣，每年也能產生出幾顆預測神準的明星，可有哪位分析師的明星光芒能夠維持數十年而不墜？

學習有其必要，正確的學習則有其絕對的必要。花了許多時間學習，只累積了片斷的知識以為談助，不免浪費時間；如果得到的是似是而非的知識，或者偏食地選擇知識以鞏固自己的觀點，使得原來的一己之見更為剛強，那還不如把時間拿來爬爬山、打打球，鍛鍊身體，至少於己有利而於人無害。

註一：《決勝未來的五種能力》中譯本，聯經出版，二〇〇七年九月。

註二：《追求卓越：探索成功企業的特質》新修訂中譯本，畢德士（Thomas J. Peters）與華特曼（Robert H. Waterman）著，天下文化出版，二〇〇五年八月。

決策的理性與感性

各行各業常有一些所謂達人，
他們的判斷往往來自潛意識下的直覺反應，
靠的就是深入研究、反覆練習、潛移默化，最後進入潛意識，
面對突發狀況時，才能及時產生敏銳正確的決斷。

創投業者經常會遇到有心創業的人好奇地詢問：「你如何決定投資或不投資一家公司？」大哉問！在所有的商業決策裡，是否投資一家公司，可能是最特殊的一項決策。它需要考慮的因素最多，團隊不可能十全十美，技術不見得超群絕倫，市場既難以捉摸，資金又總擔心不夠，種種條件想要打分數，都不知從何開始。即使打分數又如何呢？難道夢幻團隊就能保證打敗所有競爭對手？或者只要做出產品，不怕客戶不買？創

投家的專業之一，就是在處理這些高高低低、長長短短的類比（analog）資訊，最後產生出一個簡單的二元（binary）結論：投資或不投資。

這個過程牽涉了兩個問題：一、如何做決策？資訊的數量龐大卻又不完整，彼此獨立卻又相互關聯，在時間的壓力下，如何做出一個決定？二、如何能夠增進決策的品質？其實這兩個問題不只考驗著創投業者，也是每一位成功經理人的試金石。彼得．杜拉克早在三十年前就明確指出：「有效決策」是經理人必備的條件之一。

決策是理性或感性？大腦實驗來揭密

古典的決策理論強調收集準確而完整（其實兩者皆不可得）的資訊，探討各種可能採取的方案，再計算不同狀況下的期望報酬，由此選擇出最佳方案，這種決策模式在企業界被廣泛地應用。由於收集資訊需要時間，而且環境瞬息萬變，以致計畫總是趕不上變化，於是許多決策者延遲決策時點，用最多最新的資訊來做最後決斷。這種決策模式姑且可以稱為「及時決策」（Just-In-Time Decision Making）。

收集資訊、計算報酬、進行決策，屬於人們理性思考的範圍，按時下流行的左右腦分工的概念，它屬於左腦的活動。依理性自由主義者的思維，理性可以引導人們做出對自己最佳的抉擇，若對每一個個人最佳，對整個團體也自然最佳。這樣的一項主張，若是拿來當成一個追求的目標固然令人嚮往，但要拿來當成一個先驗的假設，現代經理人必須審慎質疑它的正確性和可行性。

近幾年來，許多腦神經學者對於大腦中一塊特殊的區域產生了濃厚的興趣，這塊位於鼻樑正後面的腦皮質部分稱為「腹內側前額葉皮質」（Ventromedial Prefrontal Cortex），早先的研究已經知道，這塊區域關聯著人對恐懼、風險和獎懲的知覺。

這些學者做了許多實驗，他們找到一些這塊腦區受到損傷的病人，再與一般正常人做成對照組。一項實驗發現，腦受傷的病人雖然可以處理外界的資訊，可是無法做出判斷，因此難以決定下一步的行動。更有趣的是，正常人在做判斷、採取行動之前，這塊區域特別活躍，而且連帶牽引其他生理反應，如心跳加快、手出冷汗等；而腦受傷者卻缺乏這些生理反應，結果往往難以做出日常的決定。另一項實驗則發現，在社會利益和個人情感衝突的關節（例如必須加害一個人，以保護更多人的性命），這塊腦區受傷的病人輕易地選擇群體利益（比較理性？），而一般正常人反倒猶疑不決（為情感所縛？）。

決策的品質取決於潛意識的品質

我們大部分人腦腹內側前額葉皮質都沒有受傷，在做出重要的決策之前，手心冒汗、心跳加速，都是這塊區域的作用。我們擔心做出錯誤的決定，又嚮往成功的喜悅，也是這塊區域的作用。可以說主宰決策的原始力量，不在人的理性，而在感情；或者說不在知性的意識，而在不盡為人知的潛意識裡；甚至不妨說一個人決策的品質，主要取決於他潛意識的品質。

麥爾坎．葛拉威爾在二〇〇五年出版的第二本暢銷書《決斷2秒間》（*Blink: The Power of Thinking Without Thinking*）裡，對於潛意識如何掌控人們的決策，有許多相當精彩的故事。各行各業常有一些所謂達人，他們的判斷往往來自潛意識下的直覺反應。例如許多古物收藏學者一眼可以鑑別出古物真偽，卻無法解釋原因；一位鳥類學家憑兩百碼外驚鴻一瞥，就可以認出飛行中的鳥影，其實他從沒見過這種鳥飛行的模樣；更不可思議的是金融怪傑索羅斯（George Soros）每次感受到痙攣般的背痛，他就知道：該出場了。

然而沒有受過訓練、下過功夫的普通人，潛意識裡充滿了人類天生的生理錯覺，獨特的個人偏好，長期累積的錯誤習慣，再加上種種未曾經過驗證、先入為主的刻板印象，要靠這樣的潛意識來做決策，其危險可想而知。人的學習在知性上充實各種知識和見識，是一個層次；深入研究、反覆練習、潛移默化，最後進入潛意識，而能及時產生敏銳且正確的直覺反應，則是另一個層次。（註一）

經理人的決策習慣，決定他的管理風格。凡事三思而後行的人，難免優柔寡斷；明快果決的人，最怕乾綱獨斷，決策粗糙。所以管理者首先應當了解自己，善用自己的風格，在專業領域裡成為達人，能在兩秒內做出決斷，至於自己不擅長的領域，小心行事、從長計議也是當有的謹慎。千萬別每次都拿需要更多資訊做藉口，拖延時間，掩飾難以下決斷的猶疑，最後錯過黃金時間。

註一：這兩個決策的層次相當於諾貝爾經濟學獎得主丹尼爾．卡尼曼（Daniel Kahneman）所著《*Thinking, Fast and Slow*》（2011）中區分的系統一與系統二（System 1 and System 2）的思考反應機能。

不談錯誤，哪來準確？

收關生命的傳染性疾病，不妨放寬偽陽性的錯誤率，就算虛驚一場，也強過有病卻沒檢查出來；一些無傷大雅的小毛病則可輕輕放過，偽陰性雖高，也省得疲於奔命。就像我們每天面臨二元判斷的十字路口，若能估算誤判後果，境界更高。

有人開發出一台醫療診斷儀器，用來偵檢一種特殊的疾病。任何儀器都有誤差，臨床實驗統計指出，用這台機器檢驗一百個沒有患病的受測者，有九〇％的正確率，但是有一〇％的誤差，雖然可以正確檢驗出九十個沒病的受測者，卻會將十個沒病的受測者誤判為患者。假設你也去接受這項檢驗，結果呈現陽性反應，請問：你患這種病的機率有多大？

無所不在的兩種錯誤

如果你的答案是九〇%，那可錯得很離譜，不過沒關係，許多專業醫師也犯了同樣的錯誤。

這個問題的答案跟受檢驗的樣本群有關。如果樣本群中患有這種疾病的比率是一%，用這台機器檢驗一百個樣本，假設它能正確檢驗出這一個真正的患者，其餘九十九人雖然沒病，但是由於有一〇%的錯誤，所以有十個（四捨五入）沒病的人被誤判有病。因此十一個呈陽性反應的受測者，真正罹病者只有一人，上述問題的答案是九%（1/11）。但如果受檢樣本群患有這種疾病的比率高達二〇%，呈陽性反應的受測者真正罹病的機率馬上跳升到七二%（20/28）。

檢查有病與否是一種二元的判斷，任何二元判斷都有兩種可能的錯誤，第一種是「誤以為是」，其實沒病的人卻認為有病，也可說是「似是而非」，這是「陽性」的錯誤（False Positive），或稱為「第一類錯誤」（Type I Error）。上面用到的一〇%誤判率，便是「偽陽性」錯誤。

前面的例子並沒有提到第二種錯誤，真正有病的人卻被誤判為沒病，「誤以為非」，或者「似非而是」，此乃「偽陰性」（False Negative）或是「第二類錯誤」（Type II Error）。

運用科學技術做二元判斷，在日常生活上的運用比比皆是：疾病的診斷、婦女是否懷孕、超音波檢驗胎兒性別、指紋偵測、電腦病毒、垃圾郵件、防盜警鈴，每一種需要做「是」與「不是」判斷的決策，都無法規避這兩種錯誤——偽陽性和偽陰性。

提高準確性從技術下手

前面的例子預測的準確性只有九%，第二種狀況準確性達到七二%，很顯然第一種預測參考價值比丟銅板還低，有九一%的機會僅僅是一場虛驚，當然沒有人可以接受這種檢驗結果。想要提高預測的準確性，可有哪些對策？

最根本的辦法當然是開發更進步的技術，提高偵測的準確度。例如檢查某種疾病的時候，能夠找出某種與疾病關聯性最高的癥狀（生化成分、生理指數等），或者像是過濾垃圾郵件，能夠界定更有效的判斷方法，正如過濾技術不斷升級，由檢視郵件的內容（content-based），到行為（behavior-based），進而到意圖（intent-based）。技術的進步當然可以降低偽陽性，或是偽陰性。譬如上述的例子中，如果偽陽性從一〇%降低到二%，在前述兩種不同的狀況下，預測的正確性很快就能提高到三三%和九二%。

第二種方法是改變樣本群內陽性的比例。就像前面例子顯示的，患病比例從一%提高到二〇%時，預測準確性就會從九%增加到七二%。這是在疾病檢驗時最常使用的方法，醫生先用「望聞問切」做初步的診斷，稍有蹊蹺，接下來驗血驗尿、照X光、超音波，如果還有需要，接下來再做MRI或正子掃描，每一項檢驗有其成本，卻可以增加樣本群的陽性比率，因而提高預測的準確度。許多新開發的檢驗方法，限定針對具有某些病癥的潛在病人，也出自於同樣的考量。

罕見疾病的檢測方法難以開發，除了市場規模小之外，更困難的挑戰是需要更高的技術，才能達到極低的偽陽性、偽陰性錯誤，檢驗結果才有預測價值。相反地，垃圾郵件每天擠爆每一個人的郵箱，誰敢不用過濾軟件？雖然免不了偽陽性、偽陰性的錯誤，每一個人也很甘願地從垃圾堆裡把正當的郵件（False Positive）撿回來。所以，許多人創業選擇解決多數人頭痛的問題，不只是因為市場大，也因為所需要技術的精準度不如罕見問題那麼高。

蹺蹺板般的偽陽性和偽陰性

就同一種偵檢技術而言，偽陽性和偽陰性其實是兩個此消彼長的指數，想要降低偽陽性的錯誤，就需要稍微網開一面，其後果是漏網之魚必然增加——偽陰性錯誤提高。想要降低偽陰性，總是難免冤枉無辜，沒病的當成有病，偽陽性自然提高。

所以在設計一項二元檢驗的時候，偽陽性與偽陰性的高低取捨該如何拿捏呢？這跟誤判後必須付出的代價有關。以醫學檢驗為例，凡攸關生命，例如愛滋病、癌症，或者致命的傳染性疾病，不妨放寬偽陽性的錯誤率（虛驚一場的機率增加，心理衝擊的代價固然高；有病卻沒檢查出來，錯過醫療黃金時間的代價更高）。反過來說，一些無傷大雅的小毛病或者慢性疾病，不妨輕輕放過，偽陰性雖高，但省得疲於奔命，也免得造成一些其他的問題。

我們每人每天面臨許多二元判斷的十字路口，類似這種醫學檢驗或者過濾垃圾郵件的決策，有專家可以依賴；但是子女是否說謊、朋友可否信任、用人不疑對還是不對，種種二元決策，精明痲利固然可以增加判斷的準確性，若能估算偽陽或偽陰誤判的後果，境界更高。信疑之間，充分反映了一個人為人處事的風格和人生智慧。

存而不論，論而不斷

如果自己無法判斷，大可「存而不論」，
懷疑本來就是無知與知的中途站；
即使自己有看法，何妨「論而不斷」，允許未來修改的空間。
在追求知的旅程上，誰敢武斷自負地認為已經到站了呢？

人們的信仰（無論是宗教信仰、人生哲學，甚至個人風格的養成）如何產生？大多數人最相信自己的親身經驗，也喜歡採用各種科學證據或邏輯辯證來支持自己的觀點。但是我們在不敢百分百肯定的時候，信與不信如何抉擇？

十七世紀法國數學家巴斯卡（Blaise Pascal）對這個問題提供了一個有趣的思考方式。當時歐洲正處於宗教改革，人們開始質疑上帝是否存在？既然沒人能提出充分的證明或反證，於是巴斯卡提出他的建議：如果一個人選擇相信上帝的存在成為教徒，果真上帝存在，他必然受到上帝一切的祝福，萬一上帝不存在，他也沒有任何損失；反之，一個人如果選擇相信上帝不存在，上帝真不存在，他沒有任何好處，上帝真要存在，他必將受到所有的懲罰。衡量得失，當然還是選擇相信上帝比較划算。這就是著名的「巴斯卡之賭」（Pascal's Wager）。你可以說巴斯卡挺滑頭，上帝存在與否，他姑且「存而不論」，先計算功利再說。

避害趨利，寧信其有

相信上帝存在而上帝不存在，這是第一類錯誤或是偽陽性；不相信上帝存在，結果祂真的存在，這是第二類錯誤或是偽陰性。上帝存在與否未可知（至少對非教徒而言），或未可證明（至少現代科學力有未逮），眾多世間的事物或現象同樣地難以證明是否存在、真假如何，或者將來會不會發生。

「巴斯卡之賭」提醒人們在不確定狀況下分析第一、二類錯誤的代價，然後避害趨利，這種思維後來刺激了二十世紀「博弈理論」（Game Theory，或稱賽局理論）的開展。

如果第一、二類錯誤的後果顯而易知，而且代價相差懸殊，人們的抉擇自然傾向一邊。二〇〇〇年美國兩位演化心理學家哈塞頓（Martie G. Haselton）和大衛．巴斯（David M. Buss）分析這種傾向，提出了「錯誤管理理論」（Error Management Theory）。

「錯誤管理理論」一個現成的例子，就是東方人對風水的看法。其實，真正對風水深信不疑的人極為少數，多數人不過是「寧信其有，不信其無」。雖然沒有人說得清為什麼左青龍、右白虎，牆上掛簫、屋簷吊風鈴如何能改變命運，但是第一類錯誤代價很低，不過犧牲一些方便，加上簫和風鈴的成本；第二類錯誤的代價卻可能是一個人的前途、事業、命運，大多數人會如何選擇，可想而知。

同樣的道理，黑函之所以滿天飛，謠言不能止於智者，選舉時負面文宣層出不窮，這都跟人們傾向相信「無風不起浪，空穴不來風」的心理有關。想要扭轉這種傾向，可以增加第一類錯誤的代價。只不過任何牽涉到移風易俗的社會改革，理論容易說，做起來不簡單。

人權保護與恐懼文化的角力

社會的演化，也會改變對第一類或第二類錯誤的容忍度。意識形態鮮明的社會，經常出草「獵殺女巫」（Witch hunt），可以忍受較高的第一類錯誤，卻不樂意見到第二類錯誤，尤其當第二類錯誤的代價極高的時候，自然「寧可錯殺一百，不可放走一個」。「白色恐怖」便是在這種時空背景下的產物。

隨著民主進步，人的基本權利受到越來越多的保障，現代社會朝相反方向發展，寧願有較高的第二類錯誤，卻不能允許有任何第一類錯誤。譬如說大多數文明社會的法律，都明文規定被告在判決有罪之前本來無辜，舉證的責任在於檢方，被告並沒有義務證明他的無罪。

相反地，現代社會對公共安全的要求日益提高，各種安全措施、食品檢驗、藥品審核，一概從嚴管制，避免任何第二類錯誤的發生。九一一事件之後，西方國家大受威脅，紛紛採取各種反恐措施，國民失去了安全感，生活也帶來許多不便。無怪乎賓拉登洋洋得意地說：「從此美國人將生活在恐懼之中。」（註一）

其實二次世界大戰後，消費者意識提高，早已經形成了「恐懼文化」（Culture of Fear），結果心理安全的指數表面上固然大幅提高，卻也造成相當高的社會成本（例如有人質疑汽車規定安裝嬰兒專用椅的成本效益）。

正視自己錯誤的可能性

倒是一個理性開放的現代人，應該要認識到自己的各種判斷就像一台醫療檢驗儀器，無論有多高的精確度，必然有它可能會犯的第一類以及第二類錯誤。對自己的判斷有過度信心的人，會忽略這兩類錯誤的存在，沒信心的人則放大了錯誤的機率；後者使修正錯誤的工作十分困難，前者則根本不允許任何修正錯誤的機會。

不怕犯錯，只怕錯了不改，更怕根本不知道犯錯。我們天天在做二元判斷，實在應該充分認識第一、第二這兩類錯誤，才能正視自己錯誤的可能性，創造修正的機會。如果自己無法判斷，大可「存而不論」，懷疑本來就是無知與知的中途站；即使自己有看法，何妨「論而不斷」，允許未來的修改空間。在追求知的旅程上，誰敢武斷自負地認為已經到站了呢？

註一：賓拉登雖於二〇一一年五月遭美國特戰部隊擊殺，但美國人的恐懼不會隨之而去。

當機率遇見恐懼

恐懼是心理情緒的反應，機率是理性層面的計算，
兩者若是發生衝突，感性永遠戰勝理性。
科技政經的進步，人的理性並未隨之並進，反倒因為擁有，更害怕失去。
恐懼使人卻步不前，遠離危險，但也可能誘人冒險，追尋未知。

這些年來我參加過的許多次商業談判，小至例常的買賣合作、貿易糾紛，大至智慧財產授權、企業併購。談判牽涉的金額越高，談判兩造越慎重，請來的律師越大牌。後來發現大牌與高明是兩個層面，大牌的律師會告訴你所有可能發生的狀況，只有高明的律師才能跟你分析每一種狀況發生的機率和後果。然而後果越嚴重，發生的機率往往越低，究竟該聚焦在後果的嚴重性，還是微小的發生機率？談判者拿捏取捨之間的分寸，反映出不同的談判者風格和企業文化。

就像深冬夜寒，幾個小孩圍爐聽大人講鬼故事，越聽越害怕，背脊一發冷，鬼好像就在後腦勺。聽律師講起各種可能的最壞後果，雖然沒鬼可怕，可比鬼真實得多，恐懼的感受非常類似。如果一起參加談判的幾個人齊聲附和，負責談判的人也唯恐萬一真變成一萬，自己豈不成了眾矢之的？

恐懼，已悄悄滲入社會運作

恐懼於是像傳染病般擴散，一旦超過臨界點，談判有可能就此破局（其實破局是談判的最佳籌碼，不過那是另一個話題）。

恐懼是心理情緒的反應，機率是理性層面的計算，兩者若要對話，猶如雞同鴨講，若是發生衝突，感性永遠戰勝理性（理性偶爾占上風，那是因為感性沒受到威脅，不屑一戰）。今天的人類社會，無論從科技、經濟或政治的角度，客觀說來的確比三、五十年前進步不少，但是人的理性並不會隨之齊頭並進，反倒因為擁有而更害怕失去，再加上強大的科技力量，讓人不免臆想種種毀滅性的結局。

恐懼，已經悄悄滲入社會各種機能運作，匯合成一股暗流，塑造出種種新的社會規範。有一位英國學者富里迪（Frank Furedi）研究恐懼的社會力量多年，撰寫了《恐懼的文化》（*Culture of Fear*, 2002）一書，書裡提到英國的許多公共政策，諸如食品安全、防止兒童受虐、家庭暴力、醫療預防保健、環境污染等等，幕後推動的力量，無一不見社會群眾的恐懼心理。意見領袖和媒體的積極鼓吹，善於掌握甚至創造話題的政治人物不時推波助瀾，再加上各種經濟利益團體那一隻看不見的手，經年累月，整個社會更安全了，但安全感並沒有增加，人們似乎總可以找到下一個令人恐懼的可怕對象。

人們恐懼什麼呢？首先是身體和生命的安全，其次是生活的保障。一個人無論生活好壞，身體疾病或健康，他對此時此刻不會感覺害怕，因為這是既成的現實；令他恐懼的是不可知的未來，存在著各種可能發生的風險，剝奪他所有的一切，無論擁有的再卑微稀少，喪失的風險仍然令人恐懼。

機率，無法計算恐懼

恐懼與安全感好像蹺蹺板，一頭仰高，另一頭隨之下降。心理學家早已發現，人所感受的安全感強弱，跟自己能夠掌控的程度有關。方向盤抓在手裡的駕駛，必然比坐在旁邊的乘客輕鬆自在；為什麼很多人怕搭飛機，卻不怕開車？以單位時間的死亡率來看，其實兩者風險不相上下，差別之一在搭飛機的乘客手中沒有方向盤（飛機上開放飛行駕駛與塔台通訊頻道，或者播放著陸時的實況影片，的確可以增加乘客的參與感）。

人對威脅的感受，也跟時間遠近有關。每個人怕病、怕老、怕死，也都知道該注意飲食運動，卻總有各種藉口，一旦檢查出罹患絕症，又能立刻放下一切；這種只見近憂不知遠慮的心理，嚴重影響到公共資源的分配。以醫療資源來說，根據統計，美國八○%的醫療費用，發生在老百姓壽命終了前六個月的期間。更不可思議的是，加州長年來使用於監獄管理的經費，比編列給高等教育的經費還高，百年樹人的未來效益，究竟不敵眼前犯罪率的威脅。

另外一個影響恐懼的重要因素，是意外事件令人驚駭或憤怒的程度。恐怖分子的襲擊比黑道幫派可怕，槍擊事件遠比嗑藥致死讓人心驚，發生在幼童身上的意外比發生在成人身上更教人憤怒。的確，幼童天真又無助的形象，是先進國家訂立各種保護兒童法律的驅動力。美國法律規定幼兒乘車時必須坐在安全座椅內，而且得背對擋風玻璃，結果造就了每年五百萬張安全座椅的市場，年銷售額十億美元。但在此法令實施之前，每年車禍死亡的幼童僅數百件，比例上並不比繫安全帶的成人死亡率高，所以真要計算經濟成本，在這項法令下，每救一個幼兒性命恐怕花費好幾百萬美元的代價。又如各種強調兒童安全的商品：嬰兒洗髮精、不易燃的睡衣、小手指伸不進去的電插頭，都因為直接訴諸父母的恐懼，標價能高上好幾成。

善用第二型恐懼

對個人來說，恐懼使人卻步不前，遠離危險，但恐懼也可能誘人冒險，追尋未知。因此有人把恐懼分為兩型，第一型恐懼只見危險的存在，以及危險造成的傷害，通常激發起自衛本能和情緒面的反應，以保護最根本的身心安全，或者名譽財產等等。第二型恐懼則讓人像三軍統帥般，正面迎向「危險」這個敵人，不但了解自己恐懼情緒的盲點，同時能夠動員一切資源，做出萬全的迎戰準備。初生之犢，沒見識過老虎的威風，因此不知何謂第一型恐懼；驚弓之鳥，從不會善用第二型恐懼，總是一見風吹草動，倉倉皇皇就飛走了。

這兩種恐懼讓我想起一個故事。有一位憂慮的母親，兒子長大了，一心出門闖蕩天下，母親憂心忡忡地勸誡兒子說：「兒子呀，媽媽真不放心。你這麼老實，出門一定會被壞人欺騙；但你若不誠實，上帝一定會懲罰你，你還是留在家裡吧！」機靈的兒子趕緊安慰媽媽：「媽媽妳放心，我若老實，上帝肯定會保護我；我若不老實，壞人也沒法欺負我。」

其實我們每個人心裡，既有個媽媽，也有個兒子。一個人隨著年紀越長，擁有越多，兒子後來慢慢也變成了媽媽。有沒有一個法子，讓我們心裡長住著一位看盡世道黑暗陷阱的媽媽，和一位勇敢迎向廣大世界的兒子？

暗室摸象

整體和部分是個令人目眩神迷的議題。
為什麼蛋吃一口就知道壞了？一個爛蘋果切掉爛的部分，好的部分照樣可吃？
我們透過各種知識或感官經驗去了解這個現象界，
往往像在暗室中摸象，既不見大象，也不知道是否為大象。

從前，小學教科書裡有個瞎子摸象的故事，每個瞎子心中的象各不相同。假使有一個人會讀心術，能把瞎子們心裡的象縫接起來，請問他能否拼湊出一頭象的完整相貌？

某人寫了一本厚厚的小說，興匆匆地拘給一位出版名家，請他品評，他看了幾頁，就退給了這位未來的小說家。小說家失望之餘，憤憤質問：「書都沒看完，怎麼就蓋棺論定？」出版家冷冷地回答：「你不需要吃完整顆蛋，才知道它壞了。」

整體有別於部分的總和

整體和部分（Whole and Parts）是一個令人目眩神迷的議題。遠在兩千四百年前，亞里斯多德思索兩者的關係，就說出了以下的名句：「整體多過所有部分的總和（The whole is more than the sum of parts）。」兩千三百年後，提倡身心合一的德國心理學家科夫卡（Kurt Koffka）又加了一句補充：「整體有別於部分的總和（The whole is other than the sum of parts）。」言下之意是，不能靠分析部分的性質來推論整體。

筆下充滿哲思的偉大物理學家海森堡（Werner Heisenberg）主張，部分與整體相互間的合一與互補，才能構成完整的現實（reality），他甚至把他回憶錄的書名定為《部分與整體》（*The Part and The Whole*）。以「測不準原理」（Uncertainty Principle）名垂物理學史的海森堡，深刻了解要認識經驗和實相、概念和現實之間的分際，不能不追究部分與整體兩者間不一不異的關係。

二十世紀後，系統的觀念興起，用一種新的方式表達整體和部分。最早探討系統性質的多是生物學者，後來工程背景的學者嘗試用系統模型來建立企業管理或經濟理論。電腦科技發達之後，系統這個名詞處處可見，人人可用，諸如系統科學、系統工程、系統分析，系統變成了流行的形容詞；任何名詞也可以加在系統二字之前，像是生產系統、教育系統、生態系統等等，幾乎無物不可以成系統。

然而，無論用系統或整體與部分的角度來分析問題，或者了解現象，有兩個天塹必須面對。

整體的邊界往往求之不可得

學過電腦ＡＢＣ的人都知道，最簡單的系統模型包括三部分：輸入、處理和輸出。要定義輸入和輸出，必須先區別系統與環境。如何能把系統從環境中分辨出來？自然得先畫出系統的邊界，邊界內的領域屬於系統，之外便是環境。一個完整的系統是一個整體；系統再細分，裡面可以有次系統，或者元件，這些都是所謂的部分。

天塹之一在於介於系統與環境之間，是否能夠畫出一條明確的邊界？在三維空間內占據體積的實體，比較容易定義邊界，像是一部電腦、一輛汽車，或是一個人的身體。但是真要認真追究起來，這條邊界還是有一些模糊性，像是電腦售後才安裝的軟件或周邊設備，存在雲端的資料或儲存容量，一個人身體內的空氣、食物及水分，應該屬於系統之內還是系統以外？至於系統內的次系統或者元件（都是所謂的部分），更是難以釐分清楚。神經系統、消化系統、循環系統，雖然名為系統，其實彼此交錯重疊；人體手足五官等各個部分，好像各有其指，但要說清楚眼耳鼻舌的明確界限，還真不容易。

至於不占空間、抽象概念中的系統，邊界線要不是人為的一刀兩分（例如ＭＩＳ系統中的生產或財務系統），就是模糊概念（fuzzy concept）下隱隱約約策略性的邊界。例如說到教育系統，大家很快想到學校，但是家庭或社會是否也可以包括在教育系統內呢？又如談起金融系統，當鋪或地下錢莊算不算？更多的時候，在概念世界裡，「整體」的邊界往往求之不可得，因為現象間的空間依存和時間因果的糾纏千縷萬緒。

瞎子摸象的明顯錯誤令人發笑，是因為我們明眼人清清楚楚看到一頭完整的大象；其實當我們尋索一個整體的邊界時，往往像在暗室中摸象，既不見大象，也不知道是否為大象。絕大多數的時候，我們根本像是天生的瞎子，完全不知大象究竟為何物，摸到一隻長鼻子，心裡還在納悶，又摸到一條象腿，朦朦朧朧地就拼湊出一個所謂大象的認知。

見樹未必能見林

天塹之二是，如何充分了解部分和整體之間的因果關聯。為什麼蛋吃一口就知道壞了？可是一個爛蘋果，切掉爛的部分，好的部分照樣可吃？同樣是蘋果，你可曾吃過一半甜、一半不甜？人這麼複雜的生理系統，體力有強有弱，年齡有老有少，外在溫度有高有低，部分如此相異，為什麼在整體表現上，每一個正常人的體溫都是三十七度？

用剖析的方法，透過對於部分的分析來了解整體，稱為還原論（reductionism），是系統科學的一大貢獻，但也造成它最大的局限。無論我們對於人體的肢體、器官有多麼先進的知識，仍然不能解釋為什麼人的平均體溫是攝氏三十七度，狒狒卻是三十八度，貓則是三十九度。有時相同的部分卻又呈現不同的整體性質，例如同樣的碳元素，由於空間裡不同的排列，會產生性質截然不同的石墨和鑽石；一堆水分子從空中降落，一路形成不同圖案的雪花，這是因為時間也會影響到空間的排列。整體所呈現出部分所無的獨特性質，乃是這個整體系統的呈展性（emergence），只有直接透過對整體系統的認知，才能掌握這種獨特性。

體溫，甚至於生命，是一個動物體的呈展現象；我們看到的顏色，感受到的軟硬，也是一個物質體的呈展現象；股票市場的指數，一個人的人格魅力，城市的風格，文明的傳承，又何嘗不是？林與樹各有其不同的認識領域，因此科夫卡會說「整體有別於部分的總和」，也因此，要想融會貫通系統中部分與整體間的邏輯因果，這條鴻溝可真難以跨越。

有位朋友講了一個故事，真人真事。一位美國青年，生來失明，每次回家，大部分從前門進入，總會經過某個房間；偶爾從後門進家，也會經過某個房間。有一天他突然想到，這兩間房會不會是同一間？於是他前後走了一遭，果然是！這個發現讓他興奮地喊叫，好像當年阿基米德發現測量不規則固體體積的方法。

我們透過各種知識或感官經驗去了解這個現象界，還真像這位失明者，只有線性、局部、片斷的認識，既看不清整體，也不能確定部分與部分、部分與整體之間的空間關係和時間因果。偶有一得，其實往往像發現到原來那是同一間房，卻沒弄清楚，那間房，只不過是大象的鼻子而已。

別怕，跳下來，我接你

信任是人與人相處的基礎，也是對一個人基本價值的肯定。
在後信任時代，社會的「信任存底」更形重要。
如果你是那位父親，你會教你的兒子不可以相信任何人，
還是教他如何做一個正直的人，贏得他人的信任？

多年前聽過一個故事：有一位父親叫他年幼的兒子爬到樹上，然後要兒子從樹上往下跳，告訴他說：「別怕，跳下來，我接住你。」小小年紀的兒子鼓足勇氣，看準父親的位置，從高高的樹上縱身一躍。就在這時，父親往後倒退一步，兒子結結實實地摔到地上，委屈地號啕大哭，父親只冷冷地對兒子說：「記住這個教訓，絕對不要相信任何人。即使是你自己的父親，也不可以相信。」

這位父親的原型，我聽過幾個不同的版本，有人說是猶太人，有人說是阿拉伯人。若說是一位嚴格的中國父親，你或許也可以接受，可是大概不會認為這位父親是位美國人或日本人吧？

信任，社會競爭力的資本

如何決定人與人之間的信任，有來自個人的經驗（一朝被蛇咬，十年怕草繩），有先天的個性（有人多疑，有人輕信），也有後天的理念（人性本善或本惡，或XY理論）。兩個熟識的朋友信任的程度，來自彼此的相知與默契。至於不太熟的朋友，或者素不相識的陌生人，你該相信他多少呢？不同的社會有它各自的潛規則，在台灣可以一路搭便車環遊全島，在墨西哥碰到警察還得防他三分。

信任，不僅是人與人交往的潤滑劑，它也是一項重要的社會資本。日裔美籍學者法蘭西斯．福山（Francis Fukuyama）第二本暢銷書《信任：社會德性與繁榮的創造》（*Trust: The Social Virtues and the Creation of Prosperity*）（註一）裡，最主要的論述就是一個國家的社會福祉與競爭能力，受到一個單一的文化特色——瀰漫在這個社會裡人與人間的信任程度——制約。

例如，華人、義大利人血脈關係緊密，家族成員彼此高度信任，對家族以外卻滿懷戒心，因此產生許多充滿活力的家庭企業，但在擴充的過程中，終究不免碰到人才的瓶頸。法國人同樣關愛家庭，對他人卻缺乏信任、漠不關心，但是許多優秀人才樂意進入公共部門服務，一般人習慣接受中央集權式的威權體制，所以法國發展出許多非常傑出的國家企業。日本人對組織的信賴遠遠勝過對家庭的依賴，家庭經營的模式多半被專業管理取代，家庭財閥持有股份逐漸稀釋，大部分股權被其他企業機構持有，最後形成了像花崗石一般堅固的集團企業。德國跟日本一樣，具有強烈的團體紀律，又不像美國那樣不信任大型企業，因而發展出不少國際級的跨國企業，同時因為擁有獨具特色的學徒制度，員工與管理階層彼此信任，勞僱關係穩定，中小企業照樣活力充沛，終於成為生產力最高的國家之一。

提高社會的「信任存底」

由此可見，信任的確是社會結構的一種重要建材。值得思考的問題是，信任的來源是什麼？信任是否會隨著社會的改變有所增減？這不禁讓我想起過去二十年來在美、中、台接觸許多企業或個人的經驗。

一、二十年前訪問台灣私人企業的時候，企業負責人對於公司的員工人數、營業額、利潤等等數字多半有所保留，若非絕對必要不輕易提供，甚至於公司內部的員工也可能沒人知道這些數字。十年後，台灣企業的透明程度已經幾乎跟美國相同，談起公司營業數字，即使中階主管也能琅琅上口；要求提供財務報表，不會遮遮掩掩，多半也沒有兩份報表的問題。美國企業更為開放，只要雙方簽訂保密協約，彼此還能交換機密的商業資訊。至於中國大陸的中小企業或初創公司，不但透明程度瞠乎其後，所提供的資訊還多半需要透過種種管道加以驗證，跟台灣二十年前的狀況極為類似。

為什麼美、中、台三地會有這種落差？什麼因素造成台灣這二十年來的改變？歸納起來，外層原因是社會環境的演變，然後是日積月累水滴石穿造成的內層變化。

外在因素主要是法律與商業環境。法規逐漸完善後，守法的企業或個人有清楚的遊戲規則可以遵循，心存僥倖者多少有所忌憚，加上金融系統日益健全，徵信制度發達，隨之產生的信用評等成為企業重要的無形資產，原來純粹是甲乙雙方彼此信任與否的問題，加入了第三者的公信力。信任的成本降低之後，這個社會裡的「信任存底」自然提高起來，跟著觸發了內層的變化。信任先來自於了解，知道對方會遵守遊戲規則，相信對方不會恣意犯規，不正當地侵占我方的利益，因而產生安全感，隨後自然能夠自尊自重，務必要求我方的行為也能夠契合對方的期望，以免遭受非議。經歷這個過程，雙方的利益不但受到保護，甚至得到增長，最後終於提高了社會裡信任的風氣。

社會菁英是否值得信任？

在台灣，這種輾轉增長的轉變非常明顯，尤其在民間和私有部門，這使得台灣成為華人社會中最有情又好禮的社會。只可惜民間與公共部門之間的互動反其道而行，結果彼此信任江河日下，嫌隙越來越大。

其實對公共部門的信任危機並不是台灣特有的問題，美國《時代雜誌》（TIME）二〇一〇年三月十一日專刊探討未來十年的十項新思維，其中一項就是警告我們即將進入「後信任」時代，社會菁英分子（包括產學官）因為只顧及自身利益，決策過程黑箱作業，發生問題後競相推卸責任，結果社會大眾對他們的信任日益低落。該文作者主張，我們應該揚棄對菁英分子的信任，進行草根運動，將決策權利抓回大眾手中。

問題是，如果菁英分子都不能讓人信任，還有什麼人值得信任呢？信任是人與人相處的基礎，也是對一個人基本價值的肯定。贏得他人對自己的信任，不只是一項榮譽，也是做人的起碼責任。如果你是那位父親，你會教你的兒子不可以相信任何人，還是教他如何做一個正直的人，贏得他人的信任？

註一：《信任：社會德性與繁榮的創造》中譯本，立緒出版，二〇〇四年四月。

白天鵝、黑天鵝、紅天鵝

歷史的常軌發展（白天鵝知識）提供穩定性，
脫軌發展（黑天鵝事件）創造可能性。
預測當然有其必要，但過於執著預測，將會喪失對黑天鵝事件的承受能力。
主觀意志和作為，絕對可能塑造未來，憧憬一下紅天鵝有何不可？

有一回在跨越太平洋的飛機上，我身旁坐著一位意氣風發、年輕有為的企業主管，他很得意地告訴我，他快要完成一個預測景氣循環的經濟模型。於是我問了他一個問題：「你可相信命定？」充滿自信的年輕人當然不相信人類命運早已命定，於是我再問：「如果有一個數學模型能夠準確預測未來，是否代表未來早已被決定？」

做為一個創投業者，我每年經手上百個營運企劃書，大部分的創業家（也就是付諸行動的夢想家）詳細地陳述市場規模、成長率、競爭分析等等因素，最後估算出公司未來三到五年的營業額成長。創投者的工作之一就是了解這些假設條件，找出可能的盲點，校準創業家過度自信而造成的樂觀估計。也有少數創業者告訴我，未來難以估計，誤差可能以倍數級計算，不如專注於建立公司的核心能力。話說得很好，不過我也常告訴他們，重要的不是數字準確與否，而是創業者開拓市場的思考邏輯。

年輕的企業主管和創業者都是預言家，他們想做的預測性質截然不同。景氣循環是一個重複的現象，也有具體的歷史資料可以分析；初創公司沒有過去，未來建立在信心上。初創公司是一個小小經濟個體，在龐大的經濟體中求生存、求發展，而景氣循環正是成萬上億的這些小小經濟個體綜合造成的集體現象。

鑑往是否可以知來？

「根據歷史，推測未來」是從日常生活到學術研究中，人人採取的慣用伎倆。歷史的發展有其慣性，慣性形成樣板（pattern），樣板再被用來預測未來。這個過程前半段用歸納法，將千變萬化五光十色的複雜現象，簡化成人腦可以處理、記憶、做決策的法則；後半段則用演繹法，將化約後的法則擴大應用到其他的未知領域。

歸納法的問題很多。它鼓勵人腦對於複雜現象尋找簡單原因，例如「次級房貸的問題，都是由於葛林斯班（Alan Greenspan）擴充信用所造成」，或「一個國家裡家庭平均子女人數越多，兒童早夭率越高」，過度簡化，輕者不夠周全，嚴重者似是而非。歸納法的結論又受限於觀察的時間點和長度，例如用螞蟻的角度來觀察人的壽命，可能會認為每個人都長生不老；用中國大陸過去二十五年的經濟發展做預測，二〇三五年它的人均所得可以達到三萬美元；從日本二〇〇七年負人口成長率推論，一百年後日本人便要亡族。

從歷史的慣性來做預測，無可避免的難題就是：根據什麼我們能武斷地說這個慣性的軌跡是線性，還是指數型？什麼時候會出現拐點？然而歷史的腳本總是被少數意外事件改寫：第一次世界大戰、九一一事件、三一九槍擊，都是腳本之外的即興演出，但它們的深遠影響使歷史之河為之改道。

總是黑天鵝改寫歷史

著有《黑天鵝效應》（*The Black Swan: The Impact of the Highly Improbable*）（註一）的納西姆．塔雷伯（Nassim N.

Taleb），是一位黎巴嫩裔的美籍作家，曾經以高深的數學素養從事股票交易，他稱這種超出人所預期、極不可能發生的事件為「黑天鵝」。整個西方舊世界相信所有的天鵝都是白色，直到發現澳洲之後，才知道有黑天鵝的存在，從此普世「一切天鵝都是白色」的認知，被修改為「天鵝有白色也有黑色」。然而這個新發現，依然不能解決我們對未知的窘迫：這個世界可有紅天鵝的存在？它只存在於人的想像中？

所以，對於未來是否能夠準確預測的最根本問題在於：我們是否能以「已知」推測「未知」？即使我們暫且不論歸納法或演繹法所產生的各種謬誤（fallacies），假設我們的知識都是正確的，在我們的已知之外，還有一大片「已知未知」（known unknown），以及超出我們心智想像的「未知未知」（unknown unknown）。除非有人一廂情願地認為未來必由過去的「已知」造成，只要還有幾許「未知」的成分，我們如何能夠自信滿滿地預測未來的發展？（也許在這裡有人會產生對算命這個議題的興趣，不過它不在本文討論範圍之內。）

經濟現象是人性心理的集體現象，它與其他自然現象不同的地方，在於會對預測發生的事件做出先期反應。如果事先知道九一一事件，就不會有九一一；如果兩年前就知道美國政府會接管兩大房貸公司房利美（Fannie Mae）和房地美（Freddie Mac），二〇〇八年也

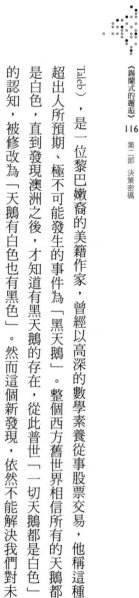

不會有次貸風暴。所以能預測到黑天鵝事件，就不再是黑天鵝（不會發生）。黑天鵝之所以發生，正因為事先無從預知，也許可稱為另一種「測不準原理」。

歷史的常軌發展（白天鵝知識）提供穩定性，脫軌發展（黑天鵝事件）創造可能性。預測當然有其必要，因為它提供了基本參考線（baseline），但過於執著預測，將會喪失對黑天鵝事件的承受能力。至於經濟個體如初創公司，更應該視預測為食譜（recipe），而非像藍圖（blueprint）般一成不變。客觀環境雖然形成各種邊際條件（boundary condition），但是主觀意志和作為，絕對可能塑造未來，超越邊際條件，使預測終成事實。即便不成，憧憬一下紅天鵝，有何不可？

註一：《黑天鵝效應》擴充新版中譯本，大塊文化出版，二〇一一年六月。

變法、革心與交心

領導變革是每一位領導者最重要的工作。
第一件事就是改變想法，無論是他人或自己的心意。
誠實、正直、公平，應該是任何領導人必備的基本條件，
更需要有開放的胸襟，允許自己也可以被他人說服。

二〇〇九年一月二十日，攝氏零下四度的低溫籠罩著華府，歐巴馬在全世界數千萬人的矚目下宣誓就任美國第四十四任總統。面對比寒冬更加冷冽嚴峻的經濟景氣，四十七歲的歐巴馬在就職演說中直接訴求美國人心，展開動員喊話：這是一個負責的時代（An Era of Responsibility），雖然面對的挑戰無比艱鉅，但是美國人必須立即展開「重建美國」的工作（We must……begin again the work of remaking America）。

歐巴馬躍上國家政治舞台不過幾年的光景，短短三年國會參議員的資歷，居然打敗二十年議壇老將馬侃，除了他個人的風格魅力、無懈可擊的競選策略之外，他簡單明快的文宣主軸「我們必能改變」（Yes, we can change）激揚起美國年輕世代和自由派人士變革的熱情，風起潮湧，終於造就了美國第一位黑人總統。然而高喊變革贏得選戰容易，就任後領導變革困難，民主時代裡無論國家或企業，變革絕非革命，不能期望星星之火，一夜可以燎原。

變法，必先革心

領導變革是每一位領導者最重要的工作。改變什麼？第一件工作就是改變想法，無論是他人或自己的心意。若是不能改變他人的心意，就不必奢談變革。但是沒有任何一個人會心甘情願將自己的心意交託出來任由第三者隨意改變，所以如何能改變他人心意卻能讓他感覺是由衷產生的改變（internalization），是變革能夠成功的必經過程。

改變他人的心意牽涉三個因素：改變者和被改變者之間的關係、改變的內容，和造成改變的手段，三者相互有密切關聯。美國心理學家霍華德．嘉納於二〇〇六年出版的《改變想法的藝術》（*Changing Minds*）（註一），嘗試有系統地分析各種不同類型組織的領導人如何改變組織成員的心意。這本書的論述或許不夠嚴謹，但是他思考這個問題的方向，值得參考之處頗多。

做為一個國家領導人，歐巴馬面對全國男女老少三教九流各色人等，各有各的思想和需求，概念層次的溝通不如說故事感動人，冗長的論述不及簡短的口號直指人心。除了「Yes We Can」的口號外，歐巴馬在競選期間出版了兩本自傳型的著作（註二），優美地敘說他個人獨特的故事，故事背後更有許多令人深思的課題。透過口號和故事，他成功地改變了眾多中間選民的心意，投下支持他的一票。

與國家領導人不同，做為一個公司領導者，面對素質整齊、需求近似的群眾，他能頻繁而直接地接觸各組織成員，闡述理念。動人的故事仍然重要，更重要的是要能跟企業生存的現實世界接軌，還得有一個理論架構來支撐，因此公司領導人必須能有效透過願景（vision）、任務（mission）、目標、策略等等分析論述，達到改變公司組織每一個成員心意的目的。

革心，還得互信交心

其實想要改變任何人的心意，最基本的條件是領導者和被領導者之間的互信。若沒有信任存在，想要改變他人心意，不僅事倍功半，還經常導致相反效果。夙享盛名的人物具有輕易改變他人心意的魔力，在於人們不自覺地向盛名的光量投射自己的信任；新上任的CEO有三個月的蜜月期，來自大家禮貌卻靜觀後效的信任；收費昂貴的顧問公司所做的建議總是受到高度的重視，自然是大家暫時把懷疑放在一旁，先相信遠來的和尚會唸經。

現代組織由中央集權逐漸傾向部門分權，決策權力下放，領導者專業領導成分降低，人格領導分量加重，改變者和被改變者之間的互信，更加取決於改變者的人格。觀察最近十年討論領導統御的書籍，宗教領袖常被用來當做學習的典範，領導人的宗教情操投射出他的人格，若能真誠而適當地流露，自然容易贏得部屬的信任，但若特意強調宗教情操卻屢有閃失，後座力更大。雖然我們不可用聖人的標準來衡量一位公司領導者的人格，誠實、正直、公平，卻應該是任何領導人必備的基本條件，也是組織成員間彼此能夠信任、願意接受改變的觸媒。

允許自己也可以被說服

人格之外，領導者更需要有開放的胸襟，從他人的角度來觀察思考。最為弔詭的是，想要改變別人的心意之前，先要有改變自己心意的心理準備。人們不願意輕易地改變心意，因為它隱含著負面評價，它代表著我的想法不是錯誤就是不夠高明，當我被某人說服，意味著你高我低，再不然就是我的意志薄弱，無法擇善固執，終於為德不卒。

這種潛意識裡抗拒改變的心理，你我皆有，被領導人有之，領導者更為強烈。所以要說服他人改變心意，必須要透過種種技巧讓改變從外在的壓力轉變為內發的動機，再由質變產生量變。但技巧的功用有時而窮，如果領導者一味堅持自己頑強的心意，圖窮匕現，信任便大打折扣，尤其當改變的效果不如預期的時候，因強力說服而勉強改變心意的人，遲早會收回他們的信任。

「君子之德風，小人之德草」，風吹草偃，風息草停；領導者的人格加上專業素養，的確具有如風一般的能量。然而人們的心可遠遠比小草頑強，改變心意是一個漫長的過程，領導者除了了解這個過程，學習各種改變他人心意的技巧外，若能夠下功夫建立互信，打開自己不願改變的心，允許自己也可以被他人說服，最後變法革新的效果才有可能事半功倍。

註一：《改變想法的藝術》中譯本，聯經出版，二〇〇六年七月。

註二：台灣有中譯本，分別為《歐巴馬的夢想之路：以父之名》（*Dreams from My Father: A Story of Race and Inheritance*），時報文化出版，二〇〇八年十一月；《歐巴馬勇往直前》（*The Audacity of Hope*），商周出版，二〇〇八年九月。

願為帝王或帝王師？

群眾或小眾路線各擅勝場，不一定需要分出高低上下，猶如偉人與偉人的母親，帝王與帝王師，各有各的貢獻。我們周圍的每一個人，都可能成為明日的思想家、科學家、藝術家，我們的言行成為這些人的助力或障礙，全在一念之間。

一次世界大戰戰後，熊彼得（Joseph A. Schumpeter）和凱因斯（John M. Keynes）在歐洲經濟學界有如兩顆閃亮的明星。熊彼得三十歲剛出頭，就發表了許多重要論文及兩本足以傳世的書籍，名滿全歐，三十六歲還曾短暫出任奧國財政部長，權傾一時。年輕的熊彼得意氣風發，矢志成為當代最偉大的經濟學家。一九五〇年一月，彼得．杜拉克陪同父親造訪老友，那時熊彼得已經六十六歲，父親追問他是否還記得當年的宏願，熊彼得說現在不同了，若能收三、五個入門弟子，教導他們成為第一流的經濟學者，於願已足。（五天之後，熊彼得在睡夢中腦溢血，與世長辭。）

年輕的時候希望千古留名，可能是普遍現象，但是為什麼熊彼得人近暮年，生命的意義卑微到只求改變幾個人的生命？也許熊彼得自知經濟學史上已穩居一席之地，所以轉而追尋其他的滿足；也許他自覺創作高峰已過，退而求其次，希望透過幾個優秀的學生，傳承他的學術生命。但是否可能熊彼得覺得名氣固然可愛，卻難以捉摸，不如掌握機會，實實在在改變人的生命，即使是周遭寥寥數人？

以傳媒和名氣為槓桿

「發揮影響，改變世界」（Make a Difference）是許多人的志願。有人選擇致力於下一個偉大的發明，設計出改變人類明日生活的新產品；有人著書立說，四處宣揚理念或信仰；也有人獨行於沙灘，拾撿起脫水的海星，一隻一隻丟回大海。用哪一種方式改變這個世界，固然是個人的選擇，卻也視各人的才具、努力和機運而定。

改變世界的過程，即是運用各種影響力達到目的的過程。在這大眾傳播的時代，無論舊媒體如電視書籍報章雜誌，或者新媒體如部落格或微博，大家趨之若鶩，因為大眾傳播能夠產生槓桿效果，擴大影響的力道和傳播速度。尤其是互聯網，同一份訊息，千萬人可以即時分享，與一對一口語相傳的短力臂槓桿不可同日而語。

名氣是另一個擁有超長力臂的槓桿。名氣和互聯網相互哄抬，既能產生三分鐘成名的蘇珊大嬸或小胖林育群，也能讓超級名人如女神卡卡藉著微博隨時與一千五百萬粉絲氣息相通。對許多想要改變世界的人而言，名氣既是誘惑，也是一項工具，和大眾傳播一樣，可以發揮槓桿效果，放大他們的影響力。

名人的光環與無名的母親

不過拿破崙早就發現，近距離看名人，尊貴的光環泰半慘澹失色。在一本名為《所謂的知識分子》（*Intellectuals*）（註一）的書裡，英國籍的作者保羅．約翰遜（Paul Johnson）遍數歷代西方最受後人景仰的歷史人物，包括盧梭、雪萊、馬克斯、托爾斯泰、羅素等十餘人，沒有一人的私生活為周圍的人帶來陽光與歡笑。盧梭的《懺悔錄》似乎為自己的暴露狂做心理分析，啟蒙當代教育思想的《愛彌兒》恐怕不能合理解釋為什麼盧梭要將五個小孩全送進孤兒院。羅素主張道德不應限制人類追求快樂的本能，結果自己身體力行，結了四次婚之外，地下情人不計其數。最近去世的賈伯斯也有類似的複雜人格。他早年拒絕承認自己的親生女兒，所有為他工作的人都必須適應他暴君式的管理風格，連他的太太都坦白承認，賈伯斯最大的缺點是完全不會為他人著想。

在歷史的洪流中，這些知名人物曾經捲起滔天巨浪，巨河甚至為之改道。他們改變世界的能量巨大無比，但他們對最親近的人帶來的卻只有不可彌補的傷害、無窮盡的痛苦。

這些改變人類命運的人物有一個極端的對比。有人說上帝因為分身乏術，因此為每一個人安排了一位母親。任何一位母親，他們無私地養育子女，不計回報，只願子女健康快樂。這份勞心勞力的工作只能透過一對一、全天候的方式進行，毫無任何槓桿效果可言，卻扎扎實實地改變了子女一世的命運。

不宜量販的小眾路線

因此我們不妨簡單分類，任何有抱負、想要改變世界的人，有兩條不同的途徑可以選擇。一種方式採群眾路線，以言論、思想、發明、創作為載體，善用各種媒體，累積名氣，透過槓桿的操作，間接從裡層向外擴散影響力，但是最終效果像廣播，不知道究竟撥動了哪一位聽眾的心弦。另一種方式走小眾路線，影響力只能透過人與人、面對面的接觸傳遞，難以量販，但是效果明確，容易掌握，更能即時得到對方反饋，直接感受到效果。

群眾或小眾路線各擅勝場，不一定需要分出高低上下，猶如偉人與偉人的母親，帝王與帝王師（英文稱 king maker），各有各的貢獻。古哲曾說：「太上有立德，其次有立功，其次有立言。」能夠立言得靠天生的才具，想要立功難脫機運的造化，唯有立德，幾乎百分之百操之在我。我們周圍的每一個人，都可能成為明日的思想家、科學家、政治家、藝術家，我們的言行成為這些人的助力或障礙，全在一念之間。

當年看到杜拉克的父親滿臉疑惑，熊彼得接著解釋：「到我這年紀才體會到，若沒能改變他人的生命，哪算改變了世界？」（One does not make a difference unless it is a difference in the lives of people）古人將立德放在三不朽第一順位，也許值得我們好好深思回味。

註一：《所謂的知識分子》中譯本，究竟出版，二〇〇二年二月。

第三部

新管理時代

個人、企業、社會公民，建立你的多元視界。

容忍——容量與極限

自然的問題容易解答，人與人之間的紛爭難了，
其間因果錯綜複雜，與其尋求解答，不如容忍，尋求與問題和平共存之道。
這世界需要多些容忍的原因，正是每個人的「大是大非」都大不相同。
用對話取代對立，用體諒融解敵意。容忍，就從接觸開始！

前中央研究院院長李遠哲曾經講過一個故事。某年他到以色列訪問，耶路撒冷市長請他吃飯。眾所周知，耶路撒冷是世界三大宗教——猶太教、基督教與回教的聖地，一直到今日，這個處於準戰爭的城市還分成四個種族、宗教截然不同的區域，除了猶太教徒、基督教徒、回教徒區之外，還有一區居住信仰東正教的亞美尼亞人。李遠哲於是請教市長如何解決這四個區域間經常發生的紛爭，市長的回答大出李遠哲的預料，他說：「你

們科學家最糟糕，每次來都談問題怎麼解決。我們要做的是怎麼跟問題共存（live with problems），解決就糟了，整個社會就會變得非常不穩定。」

以上耶路撒冷市長的話語出自李遠哲親口所述。李遠哲說這段話的用意在說明科學家和政治家的不同，他認為科學家志在解決問題，政治家卻不是追根究柢、掌握問題根源的人，因而對政治家甚有貶意。其實李院長不察，自然的問題容易解答，人與人之間的紛爭難了；其間因果錯綜複雜，與其尋求解答，不如容忍（tolerate），尋求與問題和平共存之道。

差異、衝突與容忍

每一個人的欲望、偏好與才情千差萬別，這與生俱來的差異本來就是一切創作的原動力；他出生的家庭、城市、種族、國家，個個不一，雖非出於自己的選擇，卻也成為自己身分的一部分。這人與人、家與家、國與國間的差異，經過時間的流變、涮洗與固化，造成了今日人類文明多元化的風貌。

然而差異也造成了認知上的落差，落差超過某個限度就產生了衝突。人與人之間欲望的衝突，還有機會透過市場機能或經濟制度獲得解決。最難的是見解之爭，古今多少所謂「聖戰」，即便背後藏著揮之不去的利益鬼影，總因高舉「為正義真理而戰」的旗幟而師出有名。

暴力是解決衝突最原始的手段，國與國間的衝突訴諸戰爭，幫派之間訴諸械鬥，家庭裡訴諸家暴。在物理實力上占有優勢的一方，很難抗拒使用暴力解決衝突的誘惑，因為它的結果看起來如此直接而有效，何況在強者眼裡，容忍乃是弱者的選項。

現代文明人採用的方法是溝通、影響、說服，這些非暴力的手段對於維持一個和諧的社會非常重要，但究其動機，如果「我想要改變你」多於「我想要了解你」，其實也是一種軟性暴力。「我想要改變你」意味著「你需要改變」，這個動機根植於「我比你高明」、「我對你錯」的價值判斷。弔詭的是，除非你得到對方絕對的信任，當對方感覺到些微高低優劣的不裁而判，一切企圖影響對方的努力只會得到相反的結果；孰知要得到對方的信任，只能先嘗試了解對方。

人與人之間的種種差異既無可弭平，也不見得可以取得共識，甚至於想要全然了解對方的想法、感受或為何如此，也不可能（你若不是同性戀者，試著去想像同性戀者之間的愛情）。我們唯一的選擇就是坦然接受這份差異的存在，不戴有色眼鏡地面對它；能欣賞它最好，不能欣賞也得尊重它的存在，這就是容忍。

聆聽「容忍之原則」

近幾年來，國際社會意識型態逐漸傾向於兩極化，這實在是人類文明進展和全球化的異端。我們只能期望這是一個短暫的現象，如同股票市場的短期技術性修正，而不是長期趨勢的指標。

其實聯合國早在一九九五年就曾經通過了一份名為「容忍之原則」（Principles of Tolerance）的文件，這份文件對於何謂容忍、為何容忍，有非常優美的闡釋：

▼容忍是對豐富而多彩多姿的世界文化、個人表達和生活方式的一份尊重、接受和欣賞。容忍因知識、開放、溝通、自由思想、良知及信仰而滋長，它不只是道德上的責任，也是政治和法律上的要求。唯因容忍，人類方才得以和平的文化取代戰爭的文化。

▼容忍不是讓步、示惠或縱容，容忍出於對普世人本和人之基本自由的認同。在任何情況下，容忍不得成為侵犯以上基本價值的藉口。

▼容忍的責任在維護人權、多元性、民主和法治。它因而否定教條和絕對主義。

▼施行容忍並不意味對社會不義的容忍，也不代表放棄或弱化個人的信念。容忍意味個人得自由信奉他的信念，並且接受他人各持所信。人類天生長相、環境、語言、行為和價值縱使各異其趣，人人有權享有其自我，彼此和平相處。容忍代表人不得將一己之見強加諸他人。

在全球化潮流下，人與人之間的物理距離逐漸縮短，更凸顯了人與人、文化與文化間的差異，擴大了衝突的可能性。想要營造一個人類的地球村，必須縮短人與人之間的心理距離，欲圖於此，影響、說服不足以為功，溝通了解自有其功效，但追根究柢，最重要的底線還是得靠包容和容忍。

容量與極限

其實我們每一個人都對容忍很有經驗，天天都在練習，對自己最鍾愛的人容忍度最高（除了生活習慣不能忍受以外），對認識而不造成威脅的人次之，對其他所有人都嫉惡如仇！對無關自身利益的衝突，可以瀟灑地說「退一步想，海闊天空」；一朝攸關自身財產、身分、地位，馬上祭出「大是大非，絕不含糊」的令牌。孰知這世界需要多一些容忍的原因，正是因為每個人的「大是大非」都大不相同。

容忍的容量，就是心的容量。心靈有多開放，容量便有多大，而心靈開放的程度，在於一個人能做多少自主性的抉擇。每個人思想、人格的形成，大部分來自習慣，少部分來自抉擇。我們先天的個性、後天的環境，本來就是學習過程裡的制約條件，造成慣性後，甚至學習也成為選擇性的學習，然後思想逐漸僵化，刻板印象、教條主義自然形成，到了那個時候，任何人物或思想若是超出我能了解或接受的範圍，都是「非我族類」。要能打破這個學習固化的循環，除了我們的社會必須要多元化，要能容納「異類」，還得靠個人的自覺，培養自主性抉擇的習慣，正如「容忍之原則」中所倡述的「容忍因知識、開放、溝通、自由思想、良知及信仰而滋長」。

然而容忍是否應該有個極限？「是可忍，孰不可忍」，這不可忍的臨界點應該設在哪裡？人人對這個問題都有他不同的答案，這正是為什麼我們需要更多的容忍。所有人都接受容忍是一種美德，問題全出在「什麼不該容忍」。同性戀結婚是否可以容忍？多妻制是否可以容忍？無神論或多神論是否可以容忍？這些問題的答案不僅因地而不同，更是隨著時代而改變，說穿了，容忍的尺度不過反映了一個社會的規範（social norm），無非是約定俗成而已。

在容忍的前提下，是否還有批評的空間呢？批評是否意味著容忍已超出極限？其實容忍只是接受存在的事實，而不是不辨善惡；存在的事實是我們彼此之間有不同的種族、膚色、性別、偏好，以及或因理未易明、或因地制宜、或因勢利導而產生的各種思想流派，正如「容忍之原則」中所言「施行容忍並不意味對社會不義的容忍」，批評正是此時可以採取的第一個工具。容忍使社會兼容並蓄，讓人類文化的DNA庫更多元、更豐富；而批評則加以篩選，讓各種DNA彼此競爭，人們得以各取所需。一個開放而健康的社會，容忍與批評本來應當齊頭並進。

容忍，從接觸開始

我家老大在研究所交了許多來自中國大陸的好朋友，他們對日本人的痛恨讓他甚為不解，雖然他略知中日歷史情結一二，卻不明白這些同學初出國門，從來也不認識一個日本人，這種仇恨打哪裡來？

可不是嗎？你若是見過西安清真寺留著鬍鬚的阿訇，帶領穿著白衣白帽的小孩上課；或是五台山菩薩頂上，身著海青一階一跪、一步一拜的年輕女子；或是墨西哥美利達夜市邊的天主堂裡，眼中映著燭光的垂垂老婦；容忍，哪需要學習？就從接觸開始吧！接觸可以跨越藩籬，了解可以打破成見。如果我們能用對話取代對立，用體諒融解敵意，這個擾攘不安的世界必定能多一分寧靜！

一日不作，一日不食

一個人常認為他過去擁有的，未來應該持續擁有，或者過去的貢獻應該贏得未來的某種權益，甚至在某方面的努力可以兌現其他方面的回報；這樣的想法，多少墜入了應享權益的陷阱。

中國歷來朝代的更迭靠揭竿起義，權力多是統治階層橫向的移轉，少有上下的交換。西方世界自一二一五年英國《大憲章》開始，國王與貴族交換利益與義務，上對下的權力妥協成為相互的權利與責任，這是社會階層上下讓渡權利的濫觴；法國第一共和更徹底，人民的地位提高為公民，透過社會契約將統治權賦予政府，權利才落實到社會的每一個基本成員頭上。

由於這些歷史原因，幾百年裡西方社會發展了各種繁複的權利觀念，中國人雖然進入民主百年，仍然在摸索權利與義務之間的互動。這種文化差別反映在詞彙上，英文裡有三個單字：right、privilege、entitlement，到現在還不見適當的中文名詞對應。

如契約般不可剝奪的應享權益

right 自然是權益或權利，包含的意義最廣泛，無論是神授天賦或人與，權利提供了某種利益的保障。privilege 是一種特殊的權利，也許來自自己的身分或努力，有時純粹源於法律的保障，但一旦條件消失，privilege 可以被剝奪，因此有人翻譯為「特許權益」（在美國，駕駛學校的教練最喜歡說：駕照，是一個特許權益，不是權利）。

至於 entitlement，大約是法國大革命天賦人權觀念之後的衍生物，它意味一種法定資格，及隨之而來、保障某種利益的權利，除非經過立法，這項權利不得隨意取消，本文中姑且稱之為「應享權益」。應享權益這個單字近十餘年頗為流行，它敘述一種個人的心理狀態，也說明一個時代的社會現象；它既出現在許多財經分析的論壇，也掛在政治人物的口中，成為政見裡的一項重要議題。

以美國為例，羅斯福總統新政時代的產物——老年健保（Medicare、Medicad）和社會安全福利（Social Security），屬於法定的應享權益。二〇一〇年，健保和社安的應享權益支出已經占聯邦政府總預算的四三%，全國GDP的一〇%；到二〇三五年時，應享權益支出將占GDP的一六%，成為政府赤字的最大來源。

理論上，應享權益是公民和政府的一項契約，如同台灣一八%的優利存款，不可輕易剝奪。但是美國聯邦政府財政赤字持續惡化，解決的方法不出三種：加稅、削減政府支出，或降低應享權益負擔。茶黨秉承厭惡大政府的傳統，主張縮小政府功能（其實除國防外，聯邦可控制的預算不到三〇%）；共和黨認為低稅負才能刺激經濟，不惜犯眾，向應享權益開刀；民主黨向來為弱勢撐腰，強力主張加稅。

視一切為當然的Y世代

三造各為其選票堅持不下，鷸蚌相爭，卻無漁翁得利，結果民主先進的美國，為後進國家做了一個最壞的示範。民主時代的遊戲規則是討好選民，政治人物用政策買票，中西皆然。選民彷彿那群獼猴，寧願早上拿到四顆橡實，晚上三顆，不願朝三暮四，眼前的利益遠比未來重要。

所謂的Y世代彷彿就是這樣的一群獼猴，他們出生於富裕的時代（一九八〇至二〇〇〇年），父母早年艱辛，拜全球經濟成長之賜，累積了前所未有的經濟資源，因而對子女呵護備至。Y世代成長的過程裡，少有物質匱乏的經驗，當代流行的教育理念又正好強調以鼓勵取代苛責，獎賞多於懲罰，結果養成Y世代的年輕人以自我為中心，視自幼擁有的一切為理所當然，當下的享受勝於為未來做出犧牲，成為自我的世代（Me Generation），或是應享權益的世代（Generation of Entitlement）。

以零基預算面對未來

應享權益的心理在日常生活裡比比皆是。一個人常認為他過去擁有的，未來應該持續擁有，或者過去的貢獻應該贏得未來的某種權益，甚至在某方面的努力可以兌現其他方面的回報；每當有這樣的想法時，多少都墜入應享權益的陷阱。許多男士在職場奮鬥的歲月，白天操勞奔波，晚上回到家裡精疲力盡，只能飯來張口、茶來伸手，本來無可厚非。但是等到退休之後，整天無所事事，是否應當期待享受同等的待遇？還有許多人在退休之後，認為過去已善盡社會責任，未來的日子屬於自己，因此呼朋引伴吃喝玩樂，揮霍其「享受生活」的權利。「男主外、女主內」本來出自於傳統兩性分工的需要，現代家庭兩性都在工作，唯獨女性下班後洗手做羹湯，為何男性仍然坐享「男主外」的權益？過去的貢獻是否一定可以轉換成未來的權益？不妨參考「零基預算」（Zero-based budgeting）的觀念。一般編制預算總以過去的實際費用為參考基準，如無意外，過去發生的費用未來會繼續發生，需要加減的只是未來可能發生的變異。零基預算的出發點則不同，它不採「過去會持續至未來」的基本假設，預算裡未來的每一筆費用都必須有單獨存在的理由、花費的必要。用零基預算編制預算固然費時，但是可以確定資源都花在刀口上。

千年以前，百丈禪師曾訂定叢林清規，其中一則是：一日不作，一日不食。這種精神豈不是徹底的零基預算？能做到零基預算，大概不會再有應享權益的心理期待。每一天都是新的一天，每天都該耕耘，才能保證每天都有收穫。

社會創業，用創新屯墾新疆域

社會創業與商業創業都需要市場、資金、團隊，還有一樣因素，就是創意。
歐巴馬的「社會創新基金」，卡麥隆的「大社會銀行」，
都讓具有顛覆性、原創性的社會創意能夠驗證可行性，敞開公共服務的大門。
杜拉克和韓第早已大聲疾呼：非營利的經濟活動是有待開發的處女地。

二〇〇〇年結識一位在矽谷知名創投公司任職的青年俊秀凱玲，幾年後有一天她從德州送來一封電郵，告訴我她剛辭去華爾街薪資優渥的工作，決定在休士頓落腳，開始她的「社會創業」。又過了幾年，凱玲邀請我參加一次特別的聚會，與十幾位剛從監獄釋放的更生人共聚一堂，披薩加可樂，輕鬆地聯誼，見證她社會創業的成績。

原來當年凱玲訪問休士頓監獄，聽說出獄的犯人，兩年之內再次犯罪的回籠率竟高達五

○%，因為他們在監獄蹲得太久，出獄後親友關係失聯或避不相見，原有的謀生技能早已與快速變遷的社會脫節（例如許多人沒用過手機、筆電），走投無路，只好重拾起昔日的勾當，結果再蹈法網。

患不均？來點社會創新

凱玲目睹這個問題，不僅動了惻隱之心，還劍及履及，辭了工作，動用她在金融界的人脈，成立了基金會。基金會到監獄開課，指導即將開釋的受刑人撰寫創業計畫書，傳授基本的商業概念，結業前還舉辦創業計畫書大賽，邀請創投家擔任裁判。受刑人獲釋後，凱玲想方設法安排小額貸款或投資，並且組織更生人校友會，定期聚會，就算沒了親戚朋友，還有過去「同窗」彼此打氣。

經過幾年的運作，基金會輔導的更生人回籠比率低於一○%，許多人真正得到再生。這樣的成果，讓不少監獄主動找上基金會，請求提供相同的輔導，政府補助經費和民間捐款也源源而來，幾年間，她的基金會已經有二、三十位員工，一年好幾百萬美元的經費。凱玲的夢，結合她的專業，幫助了上千位可能再次墮落的社會邊緣人。

社會創業與商業創業有許多共同的地方，都需要市場、資金、團隊，但是還有一樣大家常忽略的因素，就是創意。資本主義當道的時代，創新的焦點完全集中在私有部門，目標是如何創造更多的財富，使之不至於「患寡」；至於經濟活動的另外一支重要任務——如何適當地分配財富，避免「患不均」，變成政府部門的專屬義務，演變成稅負或社會福利之屬的政策問題。但是跟政府部門談創新，就好像期望大象學會翻觔斗。還好近年著名MBA學府紛紛推出「社會創業」（Social Entrepreneuring）或「社會創新」（Social Innovation）的課程，而且普遍受到學生的歡迎——要教翻觔斗，還是教大象背上的猴子比較容易。

大政府轉向大社會

有人分析西方民主國家提供社會福利的歷史，大約可以分成四個不同的階段。二十世紀初，英美政府幾乎不參與任何社會福利工作，所有的負擔落在家庭和民間慈善組織肩上；一九二九年大蕭條後，英美擴大政府職能，政府當起大家長，直接提供各種扶貧、救濟、失業、養老等等福利方案，民間的功能反倒逐漸式微；第三個階段裡，政府和民間形成承包關係，政府把許多在第二階段中拉攬上身的責任外包給民間單位執行，以增加效率，減少政府開支，卻沒有改善社會福利的積極野心；這種消極態度，在美國歐巴馬和英國卡麥隆上台後有所突破，因此可以稱為第四階段的開始。

歐巴馬於二〇〇九年編列五千萬美元預算，成立「社會創新基金」（Social Innovation Fund，SIF），金額雖低，願景卻很遠大。它就像一般創業基金裡的種子基金一樣，提供小量資金，讓具有顛覆性、原創性的社會創意能夠驗證可行性，成功了，再放大規模，讓更多需要幫助的人受益。如二〇一〇年七月時SIF宣布獎助名單，共有十一個基金會獲得從兩百萬到千萬美元不等的資金補助，它們所提供的社會福利工作包括弱勢家庭青少年就學就業輔導，低收入家庭的子女教育和財務規劃，經濟落後地區的脫貧計畫等。這些百花齊放的創新點子，在受到法令或立法程序五花大綁、死氣沉沉的政府部門裡，根本不可能出現。

二〇一〇年五月當上英國首相的卡麥隆，七月就宣布成立「大社會銀行」（Big Society Bank），號稱動用四億英鎊，敞開公共服務的大門，結合民間慈善組織和社會企業，引進豐沛澎湃的社會創新能量，打造一個全民參與的大社會。大社會，正是從前大政府的對照，它是政府與民間攜手合作、共同創造的社會願景。

其實早自二、三十年前起，美國管理學泰斗彼得·杜拉克和英國管理大師查爾斯·韓第（Charles Handy）就已經大聲疾呼：非營利的經濟活動是有待開發的處女地。杜拉克認為應該將非營利組織的生產力提高三倍，韓第也鼓勵思考新的組織結構，以迎接未來日益重要的非營利組織經濟。他們兩人在大西洋兩岸著書、撰文、演講、成立基金會，提倡非營利活動的音量並不亞於他們早年對營利活動的關注，時代潮流的發展也正面呼應他們的遠見。

由於民主選舉民粹當道，政治人物只好用政策買票，現存的社會福利一項不能少，新的政策一件一件加上去，稅賦一分錢不能增加，政府部門還必須越小越好，結果自然導致政府及整個社會向民間尋找資源，以應付日益龐雜的社會福利需要。資料顯示，美國民間非營利部門已經占GDP的七％，高於四·七％的國防預算，而且不斷持續成長。

公正、永續、社會全員共享

究竟什麼樣的創新可以稱為社會創新？它和一般的創新有何不同？史丹佛大學出版的《社會創新評論》（*Social Innovation Review*）季刊對社會創新做出以下的定義：「社會創新提出一種新穎的方法來解決某項社會問題，這個方法跟舊的方法相比，更有功效，效率更高，既公正又能夠永續，而且它產生的價值由社會全員共享，而非由少數個人獨占。」

社會創新的成果雖然以軟性的服務為主，但是也不乏以硬體創新做為致能技術（enabling technology）的案例，例如麻省理工學院主導的「一童一筆電」（One Child One Laptop）計畫，還有許多為貧困落後地區設計的飲水設備、衛生器材，甚至醫藥，都牽涉到實體的創新。社會創新並不排斥獲取利潤，但是利潤是為了能夠永續經營，或者擴大服務對象，而不是為了少數的投資人或經營者。

最有名、貢獻最為卓著的社會創新，應該是「微型貸款」（microfinance）。孟加拉人尤努斯（Muhammad Yunus）博士創辦鄉村銀行（Grameen Bank），三十年間貸出接近十億美元，讓數千萬既無抵押擔保也無信用額度的低收入戶，能夠得到小量現金，從事起碼的營生，脫離無止境的貧窮夢魘。鄉村銀行的成功讓許多商業銀行看到窮人市場這塊大餅，紛紛推出各種類似的貸款方案，但是最大的差別是，鄉村銀行以利潤養組織和客戶，商業銀行則期望更高的利潤以報答股東，因此貸款利率較高，偏離了微型貸款服務社會的原始宗旨。

一九六〇年甘迺迪在總統大選前發表成立「和平志願團」（Peace Corps）的政見，五十年來超過二十萬以上的美國年輕人足跡踏遍世界各個角落，從事各種志願工作，為美國扮演和平使者的角色。這可以說是美國政府主導社會創新的一個成功案例，但也可能是最後一個。

今天全世界民主國家背負龐大的財政赤字，卻面臨前所未見的嚴峻考驗，人口高齡化，財富兩極分配，經濟負成長，失業率居高不下，再加上不做就太遲的環保問題，簡直是千頭萬緒，政府資源卻捉襟見肘，唯一的出路是提供一個良好的社會創業的環境，鼓勵民間部門參與，釋放社會創新的能量。有創意的創業者，也多了一個選擇，開公司賺大錢不必是唯一的選項。

計義
也要計利

ROI計算利潤，SROI則計算利益。
社會企業要評估經營績效，先要定義有哪些受益者，
分析所從事的社會服務需要哪些資源輸入，以及可能產生的利益輸出，
再儘可能將輸出量化，賦予比較客觀的金錢價值。

對任何一個國際大都會來說，美食無疑是一項重要的軟實力。美食領域中，素食很少成為老饕追逐的對象，然而素食文化卻反映了一個城市的居民對於飲食、健康、環保的認知，是關鍵軟實力指標之一。上海這個十里洋場，向來追求更大、更好、更新、更貴，素食觀念當然不會缺席，開新式素食風氣之先的棗子樹餐廳，創辦人居然是一位原來從事房地產的台商。餐廳的菜式精緻健康又可口，是許多年輕上班族喜歡餐聚的場所，幾

年間在上海開了好幾家分店。

有位朋友看到這是一個不錯的投資機會，打聽了一下，才知老闆開餐廳的目的不在賺錢，而是在推廣素食文化。他跟投資人約法三章，餐廳賺的錢八五％用來推廣素食、服務宗教和獎勵員工，剩下來的一五％利潤才拿來回饋股東；有興趣投資，必須認同這種理念——社會第一，賺錢其次。

美國有一家冰淇淋公司 Ben & Jerry，也以強烈的社會使命為大眾所知，兩位創辦人每年捐出稅前利潤的七．五％，資助各種社會服務方案，同時規定：公司最高薪資不可高於最低薪資的七倍。它的營業額年年上升，除了冰淇淋口味好之外，也該歸功於許多客戶認同這些理念。二〇〇〇年公司受到食品巨人 Unilever（聯合利華）的覬覦，開價三億美元，提出併購的建議，但是兩位創辦人 Ben 和 Jerry 擔心傳統公司一切以股東利益優先，無法維持公司創立以來堅持的社會理念，因此聯合了一些投資者競標，不料部分股東提出訴訟，控告公司經營者罔顧股東權益，最後經營者敗訴，競標也輸給 Unilever，Ben 和 Jerry 不得不忍痛讓出所有權和經營權。至於新東家 Unilever 是否會持續相同的社會理念，誰也不敢打包票。

社會企業難以適用的組織與績效

資本主義兩百年有成，公司的組織架構厥功至偉。營利導向的公司組織將所有權與經營權做了完美的分工，不僅局限了投資人的風險，也責成經營者必須以股東的利益為最終的經營目標。雖然近三十年來，管理學者擴大公司存在的宗旨，含括了員工和客戶的利益，甚至加入企業社會責任（Corporate Social Responsibility）的概念，但是因為股東當初投資的目的是為了獲取利潤，為股東謀取最大利潤自然是經營者的天職，而衡量經營者績效的標準，也化約成簡單的投資報酬率（Return on Investment，ROI）。

對社會創業者（Social Entrepreneur）而言，傳統的公司組織架構造成根本的困難，因為股東畢竟是公司的擁有者，股東既有權更換經營者，也可能以追求利潤為由，修改甚至否定公司創立時的社會理想；投資社會企業的投資人既不以賺錢為目的，傳統的投資報酬率失去參考價值，卻沒有其他量化指標可以取代，因此不知如何有效評估經營者的績效。

而行之有年的非營利組織機構，因為享有免稅資格，政府訂下重重法令加以管制；同時因為不像營利組織具有所有權的概念，也就無法轉讓、分割或合併；經營者雖然有董事會監督，但是董事會卻不必向股東負責。

組織變革：服務為主，利潤求永續

英美國家近年由於政府經費拮据，社會救濟需要卻日益殷切，有識者意識到必須借重社會創新來激發出非政府部門的能量。針對以上傳統公司或慈善組織的困難，英國官學界經過十餘年的思考，於二〇〇五年立法，提出一種新型的法人組織結構——「社區利益公司」（Community Interest Company，簡稱 CIC）；美國也不落其後，推出所謂「低利潤責任有限公司」（Low-profit Limited Liability Corporation，簡稱 L^{3}C）的法人組織。

CIC 基本上是一個公司組織，必須向政府繳稅，最大的差別是，CIC 的經營目的在服務某一項社區利益，而非為股東製造利潤；但是它可以合法地追求利潤，以利潤來擴充組織，進一步擴大服務的對象，因此它比非營利組織多出許多彈性。例如它可以從事商品買賣，或者對提供的勞務收費，一如其他商業行為牟取正當利潤，有了利潤，CIC 得以累積資源，永續經營。它也可以發行股票，募集資金，尋求新的投資人（投資人其實更像捐款者，因為認同服務社會的理想而投資，一如棗子樹餐廳的投資人），甚至進行借貸，以應付組織擴充的需要。由於具有這些優點，幾年之間，英國已經有超過四千家 CIC 登記立案。

無論是CIC或L^3C，仍然面臨如何評估經營績效的挑戰。經過多年省思，英美的思想先驅大力推廣「社會投資報酬率」（Social Return on Investment，SROI）的觀念。

績效計算：將利益量化

傳統的社會企業，往往以募款金額、義工人數、服務小時，或救濟人數來衡量績效，SROI更著重計算為社區帶來的實質利益。許多精神利益雖然無形，難以金錢估計，但是概略地計算，總是比不做任何估算準確。傳統的ROI計算利潤（profit），SROI計算利益（benefit）。要計算利益，先要定義有哪些受益者，然後分析所從事的社會服務需要哪些資源輸入，以及可能產生的利益輸出，再儘可能將輸出量化，賦予金錢價值。這一步也許最為困難，也難免落於過度主觀判斷，但如果社會創業者和投資人事前能夠達到共識，也不妨做為事後衡量的基準。

台灣是一個充滿愛心的社會，雖然沒有如CIC或L^3C等法人組織，卻依然有相當多令人感動的社會企業，喜憨兒烘焙餐廳便是一個成功的例子。喜憨兒烘焙餐廳是喜憨兒基金會創辦的事業之一，除了餐廳收入之外，基金會也接受捐款和政府補助。由於歷年營運都有結餘，所以陸續成立喜憨兒農場、庇護工場等事業。如果用SROI來評估喜憨兒基金會的收益，喜憨兒本人的身心健康、家庭的經濟負擔、社會對喜憨兒的正確認知，這些效益適當量化後，社會大眾必然更加感謝基金會創辦者經營的用心。

孟子當年勸告梁惠王何必曰利，曰義才是上乘。只是，在資本主義社會裡，利究竟是普世共同的語言。要能釋放社會創新的能量，應當檢討合宜的社會企業組織形式，畢竟社會企業要可長可久，計算利益終究不得不爾。

競爭與合作 利己與利他

只有合作沒有競爭，必然阻礙創新與突破；
只有競爭沒有合作，恐將導致混亂和資源浪費。
只知利他不知利己，難免無法持久；
只知利己不知利他，人與人之間將缺乏互信。

二〇〇六年起，大尺寸數位電視成為消費者的新寵，快速的成長帶動了對高畫質（High Definition）DVD的需求。原本看好二〇〇七年耶誕節檔期高畫質DVD將成為最搶手的耶誕禮物，結果由於SONY（索尼）主導的藍光（Blue Ray）DVD與Toshiba（東芝）支持的HD-DVD兩種規格相持不下，消費者無所適從，只好採取觀望的態度，不但兩大陣營耶誕熱賣的期望落空，許多相關產業如DVD影片也不免受到波及。

歷史發展的軌跡往往不呈直線演進，十多年前制定 DVD 規格的時候，也許是 Batamax 與 VHS 慘烈廝殺的殷鑑不遠，各廠商一致同意採用統一的規格，造就了 DVD 成為歷史上成長速度最快的電子消費產品，也為電影工業創造了院線票房收入和影片出租行業以外的第三種收入來源。因為製造成本低，畫面品質永保清晰，個人消費者開始建立自己的影片收藏，也成就了如 Netflix 一類靠新穎的出租方式起家的上市公司。這次產業大團結的合作結果，消費者和許多公司蒙受其利（包括台灣的聯發科）。

然而 SONY 和 Toshiba 也許自覺在 DVD 市場並非最大受益者，以至於在高畫質 DVD 一役中，雙方不願做任何妥協。HD-DVD 與 Blue Ray 血戰三年之久，終於在二〇〇八年初勝負分曉，由於藍光受到六大製片廠的支持，Toshiba 眼見大勢已去，只好宣布放棄 HD-DVD，同時認賠了好幾億美元。一場混戰的結果，像是打了一趟七傷拳，競爭兩造和消費者，三方都是輸家。

經濟和科技進步的原動力，究竟是競爭還是合作？為了個體利益的極大化，是否冷酷自私的競爭是最佳、甚至是唯一的生存策略？個體（個人或社團如公司、國家）利益的極大化，是否代表整體（社會或人類）的利益自動得到極大化？

理性自由主義：自私是美德，利他是謊言

受到達爾文進化論的啟發，許多人主張每一個人應當自私地為自己的生存而奮鬥，在優勝劣敗的競爭規則下，社會如叢林，不適生存者自然受到淘汰，只有這樣，人類社會才能得到整體的進步。二十世紀初，資本主義正處於擴張期，這種社會達爾文的思想在向來崇尚自由放任的美國大受歡迎，然而「大蕭條」隨即而來，政府公權力擴張。直到五、六〇年代，高舉「理性自由主義」（Libertarianism，與自由主義 Liberalism 不同）大旗的旗手安・蘭德（Ayn Rand）出現，她毫無掩飾地主張：自私是人類最基本的美德，各種「利他」思想無非是自欺欺人的道德謊言。

依安・蘭德的看法，人是唯一擁有理性的動物，具有充分理性來判斷何種行為對自己有利，而既然每一個人的需求不同，任何人也就無法判斷何種行為對他人有利。至於何謂有利？所有人最終極的價值就是維持個體的生存，所以能夠維持生命的就是有利，有利就是善；威脅生命的就是有害，有害就是惡。傳統倫理學上的善惡觀念，都是人類創造出來的概念，不是缺乏根據的玄想（例如宗教），就是主觀的選擇，甚至是個人情感的投射，這些「非理性」的概念，都為安・蘭德一派的「理性自由主義」者所排斥。

自私是否會耽於現時的享樂？理性自由主義者認為，理性的人擁有絕對自制的能力，不會因為貪圖一時的享樂而危害未來。自私的人是否仍會與人為善？理性自由主義者視為當然，因為與人為善能為自己帶來利益。一個人照顧自己的親人，因為自己可以得到心理上的滿足，甚至反過來自己可以得到照顧；至於跟自己毫無淵源的遠方人物，行有餘力也應該幫助，因為可以促進一個和諧的社會，自己仍然受惠。

在理性自由主義的思想下，人際關係是一種利益交易的網路。利益是一隻看不見卻最公正的手，支配著市場裡人與人、個體與個體的交易，因此所有的理性自由主義者一向主張完全自由的市場機能。在這市場裡，「犧牲」的觀念沒有存在的空間，如果一定要說有，不過只是眼前利益和未來利益的交換而已。

安・蘭德的言論有許多漏洞（例如人是否完全理性，心理的快樂滿足是否百分之百根源於生存的需要等），她對利他主義的指控也難免有失偏頗（例如她稱利他主義為道德食人主義），所謂理性的自私是否應該是一切美德的根源的確有可議之處，然而也沒人能否認自私原本是人類共通的天性，就算不值得提倡鼓勵，倒也不能不如實以對。

以博弈遊戲測試人性的自私

自私是否是社會進化論下理性人必然採取的策略？自私的策略是否最終會給自己帶來最大的利益？「博弈理論」對此提供了豐富的參考訊息。博弈理論在過去六十年中廣泛應用在經濟、政治、社會、心理各領域的研究，它不只是一個幫助決策的理論，也透過大量的群眾實驗，讓我們對人性心理有更進一步的透視。

在許多博弈中，最被廣為研究和實驗的應當是囚徒困境（The Prisoner's Dilemma）博弈。在這個遊戲裡，假想有兩名嫌犯為警方拘留，因為警方缺乏充分證據，所以必須仰仗嫌犯的口供。為了順利取得口供，警方先將兩名嫌犯拘禁在不同的囚房，然後向他們開出相同的條件，他們可以保持沉默，或是選擇招供：如果一人招供，另一人堅不吐實，招供者可以獲釋，不招者則得到十年徒刑；如果兩人都招認，則各處五年徒刑；但如果兩人都堅不招認，警方無法將之入罪，只能各處兩人六個月的輕刑。

在這種遊戲規則之下，一個理性因而自私的囚徒很快地就能推算出：如果對方招認，自己招認比不招認為佳（五年與十年之差），如果對方不招認，也還是以招認為上（自由與六個月之差），因此當然會採招認一途。如果兩名囚犯都是如此理性自私的人物，必然兩人都會招認，警方也就達到了他們的目的。也正因為兩人的自私，對兩人真正有利的結果——如果都不招供，兩人都只有六個月的刑期，反倒不可能發生。（美國政府處理韓國三星和台灣友達奇美聯合壟斷 LCD 面板價格，即採用囚徒困境的心理戰，取得三星的招供。）

基本的囚徒困境博弈一如上述，是一種兩人參加一次對決的博弈，由此衍生出多次性（Iterated Prisoner's Dilemma）或者多人參加的博弈。透過各種不同的遊戲和獎罰設計（零和或非零和、金額大小），與賽者可否允許溝通，過去六十年各地學者進行了為數眾多的實驗，其中最著名的可能是羅伯特·艾瑟羅德（Robert Axelrod）在一九八一年發表題為「The Evolution of Cooperation」（註一）的論文。綜合幾個經常為學者專家所引述的實驗，可整理出以下一些有趣的發現：

一、即便在一次式的囚徒困境實驗中，居然有四〇%採取合作（彼此合作，例如不招認）的策略，可見一般人要不是不完全理性，就是不全然自私。

二、在多次性實驗（重複進行多次實驗）中，採取合作策略者短期收穫較低，長期下來卻比採取欺騙策略者（背叛對方，例如招供）收穫為高。

三、在一次性實驗裡，如果讓參與實驗者雙方能夠事先溝通，通常他們會遵守承諾而彼此合作，即便他們背叛的話，收穫會更多。

四、參與實驗者經常可以判斷（至少有統計上的顯著性）哪些人會傾向於合作，哪些人傾向於欺騙，傾向於合作的人遇到傾向於合作的人，會增加彼此合作的機會。

五、在一個多數都是合作者的團體裡，少數的自私者可以得到最大的利益；當其他人發現後，部分合作者開始選擇欺騙（成為自私者），此時自私者的收穫開始降低；合作者彼此形成聚落，不再轉變成自私者，最後自私者與合作者的數目達到某種平衡。

六、在一個電腦模擬囚徒困境的程式競賽中，最後脫穎而出長期下來贏率最高的是一個最簡單的策略，姑且稱之為「以牙還牙，以眼還眼」策略。這個策略緊跟對手上一局做的選擇，如果上一局對手選擇合作，我這一局便合作；上一局選擇背叛，我這一局便背叛。想想看，在日常生活裡，是否許多人都採取相同的策略？

以上各種博弈參與者的目標，基本上還是在追求個人利益的極大化，有沒有純粹的利他？也就是犧牲自己的利益以成全他人的利益？

在另一種名之為公共財的博弈實驗（public-goods experiment）中，學者發現有二五％的參與實驗者是典型的自私自利者，完全不參與對於公共財的貢獻，只享受別人對於公共財的貢獻；只有少數人是利他者，無論他人如何表現，他始終如一地做出貢獻。其他多數人都是有條件附和者（conditional consenter），如果別人貢獻，他們也跟著貢獻；看到他人占便宜，他們也跟著占便宜；但是當博弈規則改變，占便宜者受到懲罰時，他們又改變成貢獻者。

簡化的博弈跟複雜的現實環境當然不同，個人性向是否能充分代表組織的傾向也很難斷言，然而組織究竟由個人所組成，組織與組織的接觸，還是透過人與人的接觸來完成，組織存在的目標既由人來定義，組織的利益與個人的利益基本是互生的關係，因此兩者的行為模式應當有相似之處。

排他性競爭漸衰，容他性合作漸長

營利性組織既然標榜追求利潤，它的本質類似一個理性而自私的個人，它應該像自由經濟泰斗米爾頓・傅利曼（Milton Friedman）的倡言：「商業組織唯一的社會責任就是在不犯法、不欺騙、不作弊的前提下，動用一切可運用的資源來增加利潤。」至於其他無助於增加利潤的社會責任，本來就是其他非營利組織的社會功能。然而這樣的看法，用今天的世界觀來看，似乎頗有商榷的餘地。

在全球化的趨勢下，企業組織已經成為超越國家邊界的超級勢力，它的經濟實力大於許多國家（例如 Wal-Mart 的資產在全球兩百個國家中可以名列前四十名），它對員工的影響力與約束力（透過經濟誘因，如工資、升遷）超過國家對其公民的控制（除了人可以隨時換公司，卻不能輕易換國籍），再加上上下游產業鏈的連結及連鎖效應，企業組織的社會責任當然不能止於追求利潤。

即便在追求利潤這一目標之下，排他性競爭的力道日漸衰弱，容他性合作的必要卻日益高漲。造成這個趨勢有幾個原因，一是產業分工，附加價值鏈被拆分成數段，必須上下游合作，才能提供完整的附加價值。其二是共享資源以求最大效應，例如技術授權，或是近幾年來風行的開放原始碼（Open Source Code），或是網路運算（Grid Computing）。其三是在今日的地球村裡，世界村民遷徙、旅行、溝通日益頻繁，加上前兩項原因，標準的制定和介面的統一，不能再靠過去優勝劣敗叢林法則產生出實質標準（de facto standard），而必須仰仗業界主動參與訂定而後經過全體成員認可的國際標準。

只有合作沒有競爭，必然阻礙創新與突破；只有競爭沒有合作，恐將導致混亂和資源浪費。只知利他不知利己，難免無法持久；只知利己不知利他，人與人之間將缺乏互信，社會難免走向兩極化。這幾千年來圍繞著哲學家、倫理學家、經濟學家的兩對命題，其實不是一個取捨的問題，而是權重與先後的抉擇。

註一：有中譯本《合作的競化》，大塊文化出版，二〇一〇年四月。

冷眼看IP

智慧財產，必須在保護與放任之間找到適當的平衡點。保護，使創新者有足夠的經濟誘因，鼓勵持續創作或發明；放任，容許新知識快速擴散，激發更多的創新。在安全、利益、競爭力的名義下，智慧產權終究是一個法律經濟的議題。

手機失而復得，失主喜出望外，這樣的故事每天發生上千件。如果這支手機屬於名人，裡面又有私密相片，第二天八卦媒體的頭條肯定少不了。二〇一〇年四月，一支遺失的手機恰好是蘋果公司未上市的4G iPhone，結果不但上了科技媒體的頭條，還牽扯出許多法律問題。

蘋果電腦公司保密的功夫舉世聞名，不僅對外守口如瓶，據說內部開會也要互簽保密協定。一位粗心倒楣的蘋果工程師，不小心把外界傳聞已久的 4G iPhone 遺落在酒吧裡，對整天跟蹤蘋果公司未上市產品消息的科技狗仔隊來說，這簡直是天下掉下來的禮物。這支手機輾轉經手，被專門介紹新產品的《*Gizmodo*》網上雜誌花了五千美元買下，隨即在官網刊出圖文並茂的獨家報導；沒兩天，蘋果公司不但要回了這支手機，還報警申請搜索狀，到記者家扣押了他的電腦。

一支潘朵拉手機

這次「丟機事件」引發的法律問題，包括許多層面。媒體是否可以發表偷竊得來的新聞（應該不可以，但《*Gizmodo*》可以辯護它並不知情）？媒體可以花錢買新聞嗎（《紐約時報》說，他們也會發表同樣的新聞，但不會花五千美元買這支手機）？國家權力可否搜索新聞記者的檔案資料（警方馬上澄清：他們僅扣押電腦，並未查索電腦裡的資訊）？部落格主是否具有新聞記者身分（有待新立法或新詮釋）？所有問題，都指向此一事件的關鍵點：這支遺失的手機，不是尋常你我天天用的手機，失而復得，你我沒有任何損失；這支手機的價值在於它擁有的資訊，一旦被公開，蘋果公司潘朵拉盒子裡的秘密，再也收不回來了。

智慧財產權（Intellectual Property Rights）是知識經濟的脊樑，不尊重智慧財產權，知識經濟無法站立。不只民間企業把發展智慧財產權當成增加競爭力的利器，許多先進國家也視保護智慧財產權為發展國家經濟的重要戰略。兩千年前，唯一懂得養蠶造絲的中國，就曾明令蠶繭不可傳向西域。訊息流通如電光石火般快速的二十一世紀，公司與公司、國家與國家間，智慧財產權的攻防戰，已成為商業談判的例行公事。

實體財產獨立存在，不可複製；智慧財產卻可以分享，無限複製，給你一份，我的還在。但兩者都遵從經濟學的基本供需法則，供給越多，價值越低，複製數量遞增，原創價值遞減。更因為智慧財產的複製幾乎不需要成本，抄襲者的經濟誘因大，原創者自然必須投入更多資源，預防機密資訊外洩，打擊仿冒抄襲，以保護它智慧財產的價值。

站在巨人的肩膀上

但是從文明發展的進程來看，人類智慧的結晶，本來就是人類共同的資產。每一個發現、發明、創作，甚至於奇想，都是因為能夠「站在巨人的肩膀上」，沒有前人的智慧，後人無法憑空創造。沒有法拉第（Michael Faraday），就沒有馬克斯威爾（James C.

Maxwell），也就沒有電報、收音機、電視，更不用說這次蘋果公司走失的 4G 手機。誰能想像，如果今天用手機的人還得付馬克斯威爾權利金，會是一個什麼樣的世界？

智慧財產，必須在保護與放任之間找到適當的平衡點。保護，使創新者有足夠的經濟誘因，鼓勵持續創作或發明；放任，容許新知識快速擴散，激發更多的創新。最早的「專利法」產生於一四七二年的威尼斯城邦，專利保護期只有十年，到了十八世紀末，全世界的專利保護期限已經延長至二十年（著作版權則從十四年延長到作者死後七十年）。申請專利的程序越來越簡單，保護的範圍越來越廣，再加上全球化後，國家與國家間的實力競爭激烈，這幾百年來，保護智慧財產的勢力，在既得利益者的推動下日益擴張。從開發中國家的眼中，先進國家貫徹智慧財產權的背後居心，根本是經過偽裝的船堅炮利、二十一世紀的新帝國主義。

但是西方世界也有許多自由派人士認為，知識是人類的公共財，不應該被少數個人或企業長期壟斷。他們甚至主張，如果將智慧財產放在公共領域，人人參與，更能加速創新，提高品質，降低最終用戶使用成本。許多開放原始碼軟件（Open Source Software）便是在這種思維下的產物，例如 Linux 操作系統、Firefox 瀏覽器等等，Linux 甚至在伺服器市場取得巨大成功，市占率遠遠超過微軟的 Windows 系統。

數位時代的智財保護主義

現任哈佛大學法學教授的勞倫斯・雷席格（Lawrence Lessig），在二〇〇四年出版的《誰綁架了文化創意？》（*Free Culture*）（註一）書中，對於智慧財產權的無限上綱甚不以為然。他主張人類文化發展本來倚賴知識的自由流通，自由並不代表沒有規範、沒有紀律，但應該像自由經濟或自由市場一樣，避免過度的保護措施，讓人處處撞牆，窒礙難行。尤其是在互聯網的數位時代，產生許多新的問題，例如使用者自製的內容（user generated contents）有哪些權益？用別人的創作二度創作（re-mix）是否侵權？合理使用權（fair use）的界限該畫在哪裡等等。新的工具往往產生新的使用方式，超越舊法律適用的範疇。

雷席格說了一個有趣的故事。自古以來，土地所有權包括土地以上的天空，一九四五年，飛機發明四十年後，兩位美國農民控告航空公司擅自闖入私人土地，官司打到最高法院，最後法官判決一切領空屬於公共領域，從此改寫了土地所有權的範圍。法律的進步既然遙遙落於科技之後，本來應該努力迎頭趕上，無奈現實社會中，屢屢受到利益的綁架，反而牽制了科技的普遍應用。

今天捍衛智慧財產權的戰士可不是當年兩個紅脖子農夫，音樂、電影、軟件、高科技，各個產業紛紛聯手成立利益團體，四處提出控告，並且遊說立法機構，訂定更嚴苛的保護法案。在西方國家競爭力逐年相對降低的現狀下，加上發展中國家多年抄襲仿冒造成的惡劣形象，智慧財產的保護主義，仍然會是未來五年的趨勢（但願僅只五年）（註二）。

一九七六年，一名蘇聯飛行員叛逃到日本，他駕駛的米格二十五在日本降落後，蘇聯立即要求日本歸還飛機。歸還前，日本與美國聯手拆解了整架飛機，每一零件都經過仔細地測量、仿製，然後再安裝回去還給蘇聯。智慧財產權究竟不是人權，在安全、利益、競爭力或經濟發展的名義下，智慧財產權可大可小，有極大的伸縮彈性，追根究柢，它是一個法律經濟而非法律倫理的議題。

註一：大陸中譯本書名為《免費文化》，可能故意錯譯，雷席格此處的 Free 意指自由，一如 free market 為自由市場，而非免費市場。台灣中譯本《誰綁架了文化創意？：如何找回我們的「自由文化」》，早安財經出版，二〇〇八年三月。

註二：近兩年，智慧產權的戰爭越演越烈，宣布破產的北方電訊公司拍賣六千項專利，谷歌出價九億美元未遂所願，結果被蘋果、微軟、英特爾等成立的聯盟以五倍的超高價（四十五億美元）搶標。一個月後，谷歌宣布以一百二十億美元買下擁有三萬項專利的摩托羅拉移動公司。以如此高成本建構智慧產權陣地，不會只用來防禦，將來必定會主動出擊。這種趨勢，絕非創業者或小公司的好消息，整體科技的進步和創新難免為之受挫。

厚積社會存底

外匯存底靠美元，社會存底靠公共財，
安全、穩定、愛心、尊重、信任都是社會存底，
庶民大眾雖然是存款小戶，也可聚沙成塔、集腋成裘。
公眾人物本身即為公共財，假以名氣加持，更能成為存款大戶。

馬斯洛（Abraham Maslow）的需要五階層論（Need-hierarchy Theory）中，底層的需要如食衣住行，多賴擁有或消耗私有財（private goods）來滿足；較高層級的需要如安全與歸屬感，則須透過共有、共享，獨占性的私有財即力有不逮，此時往往必須依賴公共財（public goods）。

近代資本主義奉自由市場為無上教條，自安·蘭德以至葛林斯班一脈相傳的自由放任主

義，進一步主張唯有個人理性的自私可以信任，理性人自私的決定加上有效的市場功能，社會資源便得到最合理的分配。在這種論述氛圍下，經濟學者眼中僅見私有財，不見公共財，因為它既無法透過市場機制操作，不能產生價格曲線，還必須負擔眾多「只問收穫不論耕耘」、自私卻非理性的搭便車者，結果公共財在經濟學中成為壁上花，聊備一格，久不見深度的論述。

未來世界更需公共財

公共財為何沒有價格曲線？除了公共財本來屬於公眾、不可被個人據為私有外，它還有兩個特性：一為非排他性（non-exclusion），任何人都可以享受，例如無鎖碼的空中電視電波屬於公共財，而衛星電視則非；一為非衝突性（non-rivalry），不因為一個人的消費而減少它的數量或品質，例如國防安全屬於公共財，而全民健保則非。因為這兩個特性，公共財沒有供與需的問題（在局部範圍內），自然無法產生價格曲線。

時代正在改變，此刻至少有三個原因，讓我們應該開始探討公共財的理論與實務。一是如果接受馬斯洛的需要五階層論，只有發達公共財，個人的滿足才能向高位階提升，幸福指數才能取代GDP。其次是全球化的趨勢，所謂公共財的「公共」疆域不斷擴大，往往跨越國家的邊界，傳統「國內為公，國際為私」的實務遭受衝擊。三則地球環保問題日漸嚴峻，許多過去免費、非消耗性的公共財，變成因過度消費而枯竭的共有財（common goods），潔淨的空氣便是其一。

社會存底例一：好禮的市民文化

有形的公共財為數不多，如空氣或路燈等，多數的公共財其實無形，譬如知識，或是「江上之清風，山間之明月」，既取之無盡，用之不竭，自然是公共財。無形的公共財，也可與古人「公器」的概念相互發明，中國人自古善護公器，「崇高之名，博施之利，天下之公器也。」名氣與名人，都是公共財，社會風氣與文明，何嘗不是？

富而好禮的社會，人人嚮往，如何能從發達私有財（富）到建立公有財（好禮）？這個過程值得仔細推敲研究。由富而好禮需要移風易俗，本來不能期望一朝一夕可以成就，但在克服慣性後，動能也會逐漸累積，產生加速度，台北的捷運文化便是一個現成的例子。十五年前捷運初通，台北人還要適應車廂內不可進食的新規定，今天捷運文化已經成為台北人引以為傲、相互守衛的公共財。繼而從守規矩進化到為人設想，從車廂蔓延到其他場域，逐漸形成充滿人情味的市民文化，令台北市在華人城市中獨樹一格。公共財一如私有財，也能因正確的投資而升值。

社會存底例二：名氣加持的典範人物

在喧囂的媒體時代，名氣容易快速累積。許多公眾人物面臨名氣的誘惑，其懸念的關鍵便在視名氣為私有財或公有財。視名氣為私有財的公眾人物，後來不免成為空具高知名度的名人（celebrity）；視名氣為公共財者，才有機會成為廣具名望的典範人物（role model）。公眾人物能成為典範人物、社會的公共財，需要時間的醞釀與沉澱，不難想像在這漫長的時間中，他們一定面臨了許多誘惑的試探，以及魚與熊掌的抉擇。

首先是金錢的誘惑。從名氣通往金錢利益，地面上有直達車，名氣大者受邀擔任廣告代言，名氣小的做專業顧問；地面下的坑道更是四通八達，許多好差事往往報酬超過實質貢獻，中間的落差便可能是名氣的價格。

其次是分享的誘惑。人都需要聽眾，名氣提供現成的廣大聽眾，掌聲也不免養大了公眾人物的胃口。許多公眾人物迫不及待地分享他的生活偶得（例如剛開始靜坐，得到一些好處），或是個人特殊經驗（例如抗癌成功），多是因為名氣可以輕易滿足其分享的欲望。

最難克服的還是影響力的誘惑。許多公眾人物既有能力又具抱負，名氣為之加冕，耀眼的光環導致群眾無法分辨其見解究竟來自專業素養或想當然耳的推論，誤導加之誤判，兩相挾持，結果人在江湖身不由己，影響力從熟悉的專業伸進陌生的非專業領域，最後不免成為一隻誤入叢林的小白兔。

一位公眾人物受到以上種種誘惑而難以抉擇，自然可以同情，但此時他若能想到老子的提醒：「名爵者，公器也，不可久居。」這個社會便有機會多一尊難得的公共財。

英國《金融時報》（*Financial Times*）主筆馬丁．沃夫（Martin Wolf）最近著文談公共財，說到私有財越發達，人類對公共財的需求越為殷切，所說甚是。外匯存底靠美元，社會存底靠公共財，安全、穩定、愛心、尊重、信任都是社會存底，庶民大眾雖然是存款小戶，也可聚沙成塔、集腋成裘。公眾人物本身即為公共財，假以名氣加持，更能成為存款大戶。如是全民交相累積公共財，一如積攢私人財富，存底得以豐厚，自然能夠成為社會向上提升最穩健、最久遠的力量。

洋芋、番薯與土豆

久居美國的人才視野寬廣，但缺乏資源和實戰經驗；
台灣人才務實可靠，可惜有時格局有限；
中國大陸人才膽子大、企圖心強，卻常常眼高手低。
洋芋、番薯與土豆各擅勝場，何妨互相觀摩，彼此借鏡。

十二年前，矽谷創投界幾位大老在一次論壇上被主持人問到：「當你決定一件投資案件的時候，什麼是最重要的考慮因素？」對市場與技術趨勢掌握最精準的紅杉創投（Sequoia Capital）回答說：「市場（market）。」近來以投資臉書（Facebook）聞名的創業邦（Accel Partners）卻斬釘截鐵地說：「人才（people）。」第三位創投家倒撿了一個便宜，他說：「笨蛋，市場與人才，兩者缺一不可。」

「兩者缺一不可」這話容易說，難在這不是〇與一的問題，市場多大多小、人才如何傑出，這是兩組不同的線性函數。

評斷人才的最低門檻：睡得安穩

有些創投者確實認為人才是充分條件（sufficient condition），例如十幾年前 Palm Computing 開發出掌上型電腦，紅極一時，它的創辦人傑夫．霍金（Jeff Hawkins）離開公司後收到一張一百萬美元的支票，意思很明白：「不管你開的新公司做什麼產品，我都投資你。」類似這種認人不認市場的投資案件我也看過好幾樁，往往投資者搶破頭，分配到額度，好像中了彩券。可是根據我後來的追蹤，這幾家風光開場的公司也沒落個光輝的出場，包括傑夫．霍金成立的 Handspring，五年後也不過與 Palm Computing 合併，草草落幕。

人才當然重要，個人的經驗是：人才是一個必要條件（necessary condition），而非充分條件。創投界的幾個熟朋友半開玩笑地說，評斷人才的最低門檻是「睡得安穩」法則，也就是說創業者必須有正直的操守，對問題有充分的應變能力，讓創投者投資後還能安穩地睡覺。通過這個門檻之後，創投家必然還會百般旁敲側擊、東探西問、明查暗訪，進行各種身家調查，甚至邀請配偶共餐；整個過程可以說像是科學相命，用盡一切方法，掂掂創業家的斤兩，估計他（她）未來成功的可能性。

這些年來在台美中三地投資，接觸過成百上千個想要創業的築夢人，他們學有專精，有夢想有野心，在職場上卓有成就。在評估這些優秀人才的過程中，除了以上所說的科學相命，另一個常常碰到的問題是：國際經驗與本土經驗，哪一種比較重要？

國際經驗，以制度取代人治

二十年前一股從美國到台灣的人才回流，奠定了台灣半導體工業的雄厚實力，也造成了美式管理的台積電和本土風格的聯電兩雄爭鋒的好戲連台不斷；中國大陸過去十年為數可觀的留學生回國創業，成就了互聯網蓬勃的現況，也引發了「海龜（歸）」與「土鱉」孰優孰劣的廣泛討論。

國際經驗究竟能夠提供什麼競爭優勢？講一口順溜的英文，涉外談判的能力，甚至於所謂的國際視野（其實這多半跟創業者的格局有關）都還在其次，更重要的是國際企業講究制度，能夠降低人治的色彩。當公司面臨快速成長的需要時，它成熟的制度與組織結構容易放大績效（scale up）；除此之外，國際企業重視企業文化，資訊透明程度高，基本價值跟全球標準接軌，這對國際人才的延攬和加強國際夥伴的合作關係都是不可或缺的因素。有這種國際經驗的 CEO，在創投家眼中有絕對的加分效果。

但是許多創投家的盲點是過度迷信 CEO 的國際經驗。其實多數中國人在國際性企業裡僅僅位居中層管理，溝通和執行的能力固然勝人一籌，真正做重大策略性決策的磨練卻非常薄弱，這一類的 CEO 口才便給、知識豐富、見多識廣、承上啟下有餘，帶頭衝鋒陷陣、見招拆招的應變能力不足；尤有下者，許多號稱具有國際經驗的 CEO 對本土風格暗存莫名的歧視，結果造成團隊或策略的分歧。

本土經驗，最了解市場

什麼時候本土的經驗更為重要呢？有關本地的法規和風土習慣，本地人力資源的開發與管理，具有本土經驗當然可以減少摸索時間。任何一個研發或銷售團隊，建立在美國、台灣或中國大陸，所要考慮的招募、培訓、激勵制度必然因地制宜，各地有所不同，才能做到人人善盡其用。

然而最重要的是，必須對本地市場有充分的了解，才能掌握住瞬間即逝的機會。二〇〇九年十一月底在美國申請掛牌上市的電視ＩＣ公司泰景科技（Telegent）便是一個最佳的例子（註一），它的創辦人來自中國，對於中國山寨手機市場有第一手認識，雖然它的主要研發團隊位居矽谷，卻開發出一個毫不起眼、只有山寨手機才會採用的傳統類比電視晶片，結果獨此一家，大賣兩年，沒有任何一家競爭對手。

許多跟民生有關的投資案件，更有必要以本土經驗掛帥。例如85度C與星巴克之爭，將來必然是土洋對決的模範教案，大鯨魚星巴克在小小台灣的表現，居然遠遜於成立不過數年的小蝦米85度C。隨後85度C挾其在台灣的成功經驗，登陸文化同質性最高的上海地區，從台灣中低檔位的品牌形象，搖身一變，轉型為高檔品牌，並且在二〇一〇年完成回台上市。85度C的成功，必須歸功它運用本土經驗的獨到之處，但是它未來的最後挑戰，終將取決於是否能夠成功地延攬國際經驗，打進異質文化的歐美市場。

讓人才各擅所長

綜觀台美中三地的華人人才，久居美國的人才視野寬廣，但缺乏資源和實戰經驗；台灣人才務實可靠，可惜有時格局有限；中國大陸人才膽子大、企圖心強，卻常常眼高手低，不免讓人提心吊膽。洋芋、番薯與土豆各擅勝場，要是三方能夠互相觀摩，彼此借鏡，甚至於有創業者能夠號召三方人馬，組織一個夢幻團隊，同心協力有為有守，創投家的覺就可以睡得更安穩了。

註一：泰景科技大起大落的故事，值得所有半導體公司關注。它在二〇〇九年提出上市申請，二〇一〇年初，三家對手推出競爭產品，市場價格暴跌七〇%，泰景被迫撤銷上市申請，經過一年多尋找新產品方向，最後的結論是將公司一分為三，公司一億美元現金退還股東，大家小賺出場。

老齡社會新課題——退休

有遠見的企業上層人物不但知所進退，
更明白自己若有任何建樹，必須仰仗優秀的下一代維持並發揚光大。
對於自己熱愛的企業能夠做的最後一項偉大貢獻，
就是培養優秀的接班人，圓滿傳承。

我遇到一心夢想創業的年輕人，常喜歡問他逐夢（也是築夢）所為何來，居然有幾次得到的答覆是：賺夠了錢，四十歲就退休，然後做自己喜歡做的事。

這種人生追求，不免讓我想起那位墨西哥漁夫的故事。在墨西哥海灘度假的美國商人遇見收入微薄的漁夫，充滿商業頭腦的商人出了許多點子，讓漁夫能夠賺許多錢，退休後回到漁村，沒事打打魚，下午睡個午覺，晚上跟朋友喝幾杯酒，無憂無慮。漁夫忍不住問：這樣的日子跟我現在的生活有何差別？（故事本來到此為止，可是有人說：差別大了，銀行戶頭的餘額不多了好幾個零？）

賺夠錢其實不容易，因為所謂「夠」會水漲船高；要能勇敢追求自己情之所鍾、心之所繫更不容易，因為得放棄安全感；但最難的還是認識自己，知道自己想要什麼，因為這會隨著年歲改變。所以現代年輕人剛入職場就想到出場，才就業就準備退休的心態簡直是個弔詭——好像一位登山者，一路上儘想著家裡暖和的被褥、舒服的熱水澡。

不過這不該光怪罪年輕人，這一代年長者若沒處理好退休的問題，到頭來很可能留下一筆爛帳，讓未來的世代買單。

戰後嬰兒潮邁入退休門檻

二〇一一年戰後嬰兒潮第一梯隊剛好滿六十五歲，在未來的十年裡，美國將有四千四百萬人口邁過這個關卡，占其全人口將近一五％，台灣也有兩百三十萬人，約一〇％出頭。這麼龐大的人口比例面對即將來臨的退休生涯，其不知所措不亞於新世代的社會新鮮人面對未來職場的惶恐。

這一〇%到一五%的屆齡退休人口，散布在社會金字塔的每一階台階上。以絕對值論，當然下層人數較多，但若看百分比，金字塔的上層結構顯然被這些已逾耳順之年的人口壟斷。未來一波一波的人口大軍以倒梯形（因為人口出生率逐年降低）的隊形，踩著一階一階的台階向上攀援，不同階層，在不同年代，將會遭遇不同的問題。

不能、不敢和不願退休

時下金字塔底層的屆齡退休人口，普遍面臨的是現實的經濟問題。人均壽命延長，意味他們必須等量推延退休年齡，他們相對耗弱的心智及體力，終將形成新一類的弱勢團體；加之公共部門財政年年惡化，所有先進國家的政府早晚必須面對老齡社會嚴酷的現實，進行福利政策的改革，不是縮減包山包海的福利內容（例如二〇一一年間美國共和、民主兩黨對聯邦醫療保險的政治角力），就是延後享受社會福利的法定年齡（例如法國二〇一〇年底國會通過退休年齡從六十歲延後到六十二歲）。然而此一族群必然利用其可觀的投票人口進行反擊，因而造成新世代的負擔。

金字塔中層的屆齡退休階級也許沒有迫切的財務需要，但是他們一生打拚，除了謀生技能外一無所知，興趣狹窄又缺乏學習新事物的動機，面臨未來漫長的二十年退休歲月，惶恐甚於憂慮，常常需要幾年時間調適，還不見得能夠找到生活的新重心。

至於位居金字塔最上層的銀髮族，既掌握權力又擁有資源，雖然最有條件享受退休生活，卻最捨不得停止工作。研究領導統御知名的美國學者馬歇爾．葛史密斯（Marshall Goldsmith）在《*Succession : Are You Ready ?*》（2009）一書中提到即將退休的CEO，最放不下的是許多特權，除了公司專機、私人秘書、個人司機之外，經常出入私密高級場所，往來皆是名人顯貴；地位越高自我意識越膨脹，面臨退休關頭，一針扎破的威脅實在情難以堪。更難鏟除的是對權力的慣性依賴，一位CEO就曾坦率地說：「我做的建議最後都成了命令。」更何況，所有的組織裡從來不缺乏善於體承上意（文明的說法是：向上管理）的部屬。

正因這種依依不捨的心理，和捨我其誰的強烈使命感，時節好，領導人物沒有理由退休，時節不好，更需要識途老馬。（台積電張忠謀和鴻海郭台銘不就應大眾期望，回頭重掌令符？）雖然大家都知道一個組織要能可大可久，人事必須新陳代謝，但是權力和資源擁有者的意志終究凌駕一切，結果總是半推半就，不是「臣鞠躬盡瘁死而後已」，就是雖退而不休，身居幕後繼續下指導棋。

健康的退休文化

因此在金字塔的上層，尤其在東方父權式的社會裡，特別需要建立一種退休文化。這個文化包括制度慣例和典範，制度不及或尚未建立時需要慣例，慣例的養成則有賴於有胸襟、有遠見的領導者樹立良好的典範。

有胸襟的金字塔上層人物不必等到「酒店關門我就走」，也無須時時「以國家興亡為己任」，結果築起長堤大壩，阻斷了一波波潮湧而來的長江後浪。有遠見的金字塔上層人物不但知所進退，更明白自己若有任何建樹，必須仰仗優秀的下一代維持並發揚光大。因此，葛史密斯提醒所有即將退休的CEO，他們對於自己熱愛的企業能夠做的最後一項偉大貢獻，就是培養下一代優秀的接班人，圓滿完成傳承的任務。

美國開國總統華盛頓擔任了兩任總統後，摒絕一切勸進，放棄尋求連任，發表了名垂美國青史的告別書後毅然隱去。他的示範節制了往後三十位總統尋求第三任的企圖，形成兩任制的慣例，直到小羅斯福總統死在第四任任上，兩任的限制才正式寫入《憲法》。美國總統退休後多半避免過問政治，任內乏善可陳的卡特，一任總統下台後，換跑道轉型成功，透過各種非政府組織對世界和平做出重大貢獻，他是最善於利用退休身分的美國總統。

要建立健康的退休文化，上焉者也許該多跟華盛頓和卡特學習，下焉者不妨常想想中國老人家的智慧，提醒自己，兒孫自有兒孫福，留下優雅謝幕的身影，樹立下一代接棒者永遠學習感念的典範（legacy）。

第四部

網路後現代

在網路與數位的澎湃浪潮中，穩馭你的方向。

名片的故事

如果名片的最終棲身之處是電腦或手機中的通訊錄，
何必大費周章印刷成一張一張紙名片，再一字一字地敲進電腦？
何不一開頭便將名片虛擬化，
以數碼格式傳遞於各電腦、手機之間？

會議室裡兩人初次見面，握手後雙手遞上名片（雙手或單手，先握手或先換名片，依中西禮俗個人習慣各不相同），寒暄幾句，雙方行禮如儀一番，會議才正式開始。若是在飛機上，兩位陌生人一路天南地北，儘管交淺也不妨言深，聊出興致來，終於有一方掏出了名片，留下姓名、地址。

人人都有名片，沒名片的人，要不是無業或退休，就是有名到不需要名片，其他籍籍無名或尚待成名的人出門若沒帶名片，就好像忘記帶信用卡一般，說不出的不自在。名片彷彿是現代人真正的身分證，過去的成就，現在的地位，未來的機會，都負載在小小一張五乘九公分的紙片上。

名片走向虛擬時代

名片提供了兩項截然不同的功能。第一項功能表現在乍一見面，雙方以交換名片報上名號，名片一到手，眼光立即掃向對方的頭銜，掂估一下分量，以便拿捏自己言語輕重，決定談話的切入點，為雙方接下來的互動定了一個基調。第二項功能則展現在見面之後，需要進一步聯絡時，趕緊找出對方名片，古早前寫信，後來打電話，現在只要有電子郵箱，時空距離都不再成為障礙。

名片提供通訊資料的功能受科技影響最大。微軟的 Outlook 未流行以前，每個人都有幾本名片簿，或是一兩盒名片匣，最大的困擾是名片多到收納不下，三不五時便得做「硬體」的「擴充容量」。有了 Outlook 之後，一則不再受到硬體容量的限制，二則搜尋方便，確實是一大福音。問題是名片上白紙黑字的資訊如何能夠進入 Outlook？有秘書的老闆當然不成問題，一疊名片交代下去，兩下子便由實體轉為數位，沒秘書的白領大眾可就只好自力救濟。哪裡有痛苦，哪裡就有商機。於是名片掃描器和辨識軟件應運而生，取代了鍵盤輸入的勞力；智慧手機上照相機成為標準配備後，為名片照張相，名片辨識軟件便能直接將圖案檔轉碼存入地址簿，又省下了掃描器的費用。

然而這些受人讚嘆的科技創新，也許不久後又將遭受淘汰。如果名片的最終棲身之處是電腦或手機中的通訊錄，又何必大費周章印刷成一張一張紙名片，再一字一字地敲進電腦？何不一開頭便將名片虛擬化，以數碼格式傳遞於各電腦、手機之間？

幾年前手機上的藍牙剛流行，電視上常播放一則廣告。兩列火車停靠在站，一男一女隔窗凝視，一見難忘，火車慢慢啟動，即將離站，兩人趕緊舉起手機，凌空交換了電話號碼。

小小名片商機無限

這個預言式的廣告早播了幾年，雖然到現在還沒成為普遍的社交禮儀，卻已越來越接近真實。二〇〇八年前後，美國有好幾家始創公司不約而同在虛擬名片這個題目上做文章，有的用手機短訊（如 Contxts），有的用電郵（如 Hashable），只要知道對方的手機號碼或郵箱位址，就可以送出自己的虛擬名片。另一家公司 about.me 想到既然可以傳送名片，當然可以附帶更多自我推介的資訊，以及相片、臉書、鄰客音（LinkedIn）或推特（Twitter）上的用戶名等等，憑著這麼一個簡單的概念，這家公司在二〇一〇年底 Beta 版剛推出後就被美國線上（AOL）公司收入旗下。

然而這些應用軟件充其量只能提供名片的第二項功能（留下通信資訊），還是無法讓兩位陌生人握手的第一時間，便能知道對方是何許人物。有沒有辦法可以讓手機當場交換名片？有一家野心勃勃的新公司 Bump Technologies 想出一個解法，只要兩人的手機都裝有 Bump 的軟件，兩支手機對碰一下，虛擬名片立馬交換到對方手機。網景（Netscape）的創辦人馬克・安德森（Marc Andreessen）看到這種技術的潛力，遂聯合其他投資人在二〇一一年初投資了一千六百萬美元。

通訊錄雖然存進了電腦，當舊識換工作、公司搬家、換手機號，要是電腦中的資料能夠自動更新該有多好？二〇〇三年我們美國公司換辦公室，意識到這是個商機，主動找到一家小公司 Plaxo，經過評估後，投資了一百萬美元。公司雖小，創辦人席恩・帕克（Sean

Parker）倒頗有名氣，高中畢業就創立免費交換音樂的網站 Napster，他二〇〇二年成立 Plaxo 時才二十三歲（註一）。他的創意其實也很簡單，只要加入成為會員，將 Outlook 的地址簿上傳到雲端（這個辭彙當時尚未流行），如果 Outlook 上的朋友也是會員，他的任何異動，就能自動更新我的地址簿。Plaxo 算是掀起社交網站浪潮的前沿公司之一，雖然不如臉書或鄰客音般星火燎原，也在二〇〇八年以一億五千萬美元的高價被美國最大的有線電視公司康卡斯特（Comcast）收購。

名片越多交情越淺

交換名片其實是一個不對稱的社會行為，積極拓展社交圈的社會新秀到處發放自己的名片，收集別人（特別是知名人物）的名片，以便有機會宣稱「我的好朋友某某某」；有一點社會地位的人則難免自持身分，吝於掏出名片，而真正有交情的老友之間根本不需要名片。因此一位創投界的大老常調侃那些積極建立社會關係的人士：「我跟曹興誠很熟，我跟他換過六張名片。」可不是嗎？換張名片其實沒多大用處，當你寫封電郵過去，對方不但清楚記得你，還樂意回敬你一封電郵，那才算是關係真正的開始。

日本藝伎是一個古老、有傳承、卻備受誤解的行業，據說這個圈子裡從來不用名片，也不把董、總等頭銜掛在嘴邊，有時候甚至還不知道客戶真實姓名。多金自然必要，卻不足恃，真正令遊女心儀的是男子舉手投足流露出來的「粹」（日文iki），也就是一種世故而溫情、老練又開明、多才卻不招搖的素養。這樣的「粹」看來在職場上也頗為需要，在名片上印著大把頭銜的人，也許可以多想想自己如何才能擁有如是之「粹」？

註一：席恩・帕克於二〇〇四年因與董事會意見不合而離開Plaxo，隨即加入成立不久的臉書，擔任第一任總經理，不及一年因涉嫌使用古柯鹼，被臉書董事會解僱。但是他在臉書任職一年所獲得的股票，已經足夠讓他以十六億美元身價名列二〇一一年富比世全球首富排行榜。

不可承受之虛擬

虛擬世界絕對有它存在的空間，它的危機在於過度的發展。
虛擬終究得建築在真實的地基上，
如果超出真實所能負擔，最後還是得面對真實世界的局限。
想在虛擬世界一展身手的人，應當嚴肅思考這些局限隱含的意義。

之前聽說台灣一位朋友的小孩國中畢業後沒興趣升學，只想創業開公司，竟然招募了一批年輕的電玩高手，天天在線上切磋武藝，熟能生巧，專職後更是武功蓋世，累積了各種電玩的金幣，然後在網路上將金幣轉賣給其他癡迷於電玩卻技不如人的新手。幾個月下來，這位十五歲的社會新鮮人，居然也擁有一家二、三十名員工的小公司。

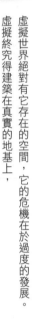

金幣農莊（Gold Farming）其實是一個不算小的行業，有人統計中國大陸以此為業的人數超過十萬人以上；幾個人口眾多而人均所得較低的國家如中國、印度和印尼，已經成為主要的電玩金幣「輸出國」。然而各種金幣都屬於電玩公司的資產，金幣買賣其實是遊走法律邊緣，屬於地下型的虛擬經濟（Virtual Economy）。

地面上的虛擬經濟成長速度同樣驚人，專家估計臉書網友之間贈送的虛擬禮物如鮮花之類就超過一億美元，經營虛擬世界的著名網站如 Second Life、Gaia 或是台灣的愛情公寓，曾經都是創投界的一代天驕（註一）。

金融的虛擬化 vs. 網路的虛擬化

虛擬世界所創造的虛擬經濟如此火紅發展，不禁讓人聯想起二〇〇八年幾乎令人窒息的金融風暴，無論已開發或開發中國家無一倖免。面對各種必然發生的骨牌效應，經濟專家卻各執一詞，政府部門也父子騎驢左右為難，短期紓困或長期振興方案莫衷一是，這個一九二九年經濟大蕭條之後最嚴重的經濟衰退，從某一個角度來看，其實是金融活動過度虛擬化的後果。

以物易物是人類最原始的交易方式，買賣雙方交易標的看得見摸得著，再實在不過。貨幣的概念產生之後，一個貝殼、一塊金屬或者一張紙片，本身沒有任何實用價值，但是它所代表的公信力（一個抽象的概念）卻能提供交易及儲存的功能。

五百年前歐洲發展出銀行的行業，採用本票或支票，將政府發行貨幣所提供的公信力擴大為私人機構提供的信用。一九四六年美國人發明信用卡，再將信用的概念延伸到個人，誘導消費者開始「先享受後付款」的消費習慣。一九三〇年代羅斯福總統「新政」時代產生的「房屋貸款」，圓了美國人住者有其屋的美國夢，但也使大多數的美國人從資產擁有者成為貸款負擔者。到了二十世紀末期，美國政府鬆綁各種對金融行業的管制，房屋貸款證券化，再加上各種充滿創意的衍生金融商品，例如這次金融風暴的眾矢之的——信用違約交換（Credit Default Swap），終於成為壓倒駱駝的最後一根稻草。

再回過頭來看看網際網路（也稱互聯網）的發展簡史。網路最早的應用，不過是改進實體的通訊方式，補強信件、電話之不足，熟識的朋友在網路上通信見面聊天，增進已經存在的實體關係；後來陌生人在網路上交往，相識不必從握手開始，最後還能發展出一個完整的虛擬關係；更進一步，一個人可以創造整個虛擬世界，而且跟現實世界毫無交集。這樣一個逐步虛擬化的過程，是否跟金融虛擬過程有幾分類似？

二〇〇八年的金融風暴將過度虛擬化的金融活動打回現實，網路上的虛擬經濟是否也將面臨不可避免的泡沫化？這倒也未必。其實在景氣蕭條的時候，逃避現實最好的方法之一就是躲進虛擬世界的幻夢之中，許多電玩公司的業績此時往往傳出捷訊。

虛擬終須面對真實

虛擬世界絕對有它存在的空間，它的危機其實在於過度的發展。虛擬終究得建築在真實的地基上，如果超出真實所能負擔，最後還是得面對真實世界的局限。對於想要在虛擬世界一展身手的人，不論是玩家或者想要創業的能人志士，應當嚴肅思考這些局限隱含的意義。

一、**虛擬的心理想像究竟無法取代實體的五官感受**。虛擬鮮花雖然永不凋謝，卻無香可嗅（開發網路傳送香味的技術是人類腦力資源最大的浪費），更無法傳達由燦爛到凋謝的生命之美。你可能在網路上享受巧克力甜美的滋味？你可能打一場網路籃球，出一身臭汗卻身心快暢？

二、二十四小時的緊箍咒。每人每天只有二十四小時，在虛擬世界多活一小時，就在真實世界少活一小時。虛擬世界當然有讓人暫時忘卻現實世界傾軋的妙用，但這妙用終究受制於邊際效用遞減，而且絲毫不能解決現實世界中的問題。

三、就這麼丁點大的生活經費小餅。扣除一切固定支出之外，一個家庭或個人可支配的資金是個定數，在虛擬經濟多花點，實體經濟就得省著些。因此虛擬和實體經濟僅是互相取代，而不是彼此加乘，由於實體經驗不可或缺，虛擬世界的成長當然受到局限。

雖說「外行人看熱鬧，內行人看門道」，其實內行人照樣一窩蜂地看熱鬧瞎起鬨，結果還形成頑固而糾結難分的利益共生體，集體摔了一個大跟頭，二〇〇八年的金融風暴便是一個活生生的明證。經濟衰退的景況下，資金供給面縮手，虛擬經濟的勢頭受到一些挫折倒也是好事，否則過度膨脹，總有一天被尖銳的現實刺破，又是一場泡沫，無論虛擬金融或虛擬網路，應如是觀。

註一：近三年間，網路虛擬世界果然急速降溫，Second Life在二〇一〇年宣布裁員三〇%，Gaia轉向發展社群遊戲，僅有愛情公寓巧妙結合虛擬和實體男女交友服務，業績蒸蒸日上，預計二〇一二年底股票在台灣上市。

如果網路是一個國度

無遠弗屆、一發即至的網路，既是一個工具，也是一個社群；
如果網路是一個國度，它的速度、開放、包容和可塑性，
不但可以彌補國家組織的封閉排外，還可能產生良性的競爭互動。
網路推崇開放，因此必然多元，網路公民將是最典型的後現代公民。

九〇年代初期，網路世界還在萌芽階段，一位敏感早慧的美國大學生（註一），常在這新奇的世界裡遊蕩探索。某天他透過 Usenet 調查人們如何使用網路，出乎意料之外，回應居然來自世界各個角落，其中還包括一位住在太空站上的前蘇聯太空人。這麼多陌生人不計回報地熱心參與，讓他領悟到，網路世界似乎自成一個國度，國度裡自有許多公民，忠心耿耿「為網民服務」，於是他為這個族群創造了一個新字「Netizen」──網路公民（Citizens of the Net）。

正如公民不同於普通老百姓，網路公民也不是一般網民。二〇一一年春天在突尼西亞、埃及等北非及中東國家透過推特、臉書所推動的「茉莉花革命」，或者是中國大陸傳媒眾口疾呼的「圍觀改變中國」，像是用隨手拍來解救兒童乞丐之類的社會問題，都是廣大網民所津津樂道的「公民行動」。但是網路公民與公民，究竟不是同一個概念。

城邦、國家、網路

古希臘城邦時代的公民是一個特殊的資格，必須擁有財產、享有經濟自由的成年男子才能成為公民，公民既被統治，也是統治者，公民個人的行為必須符合群體的利益，因此只有公共善（Common Good），而沒有私道德。到了羅馬帝國時代，由於征戰和領土的擴張，公民身分演變成利益交換的工具，帝國廣泛發放公民身分，以取得徵稅的合法權利，同時也對其提供安全保護，公民遂成為被貴族統治的階級。

十八世紀末，天賦人權的思想點燃了法國大革命的一把熊熊怒火，老百姓向統治貴族取回了統治的權利，但也一步步切割出今日一個個民族國家林立的國際政治版圖。公民身分成為國家對內統治、對外伸張主權的具體象徵，與深深劃下的國家領土線完全重疊。

網路沒有領土，不設警察，無從課稅，不能發護照，無法選總統，當然不是一個國家。然而國家這個政治體制的歷史長不過兩百年，其間還有聯邦、邦聯、國協、國際聯盟、聯合國，或是晚近的歐盟等種種衍展或實驗體制，所以我們何妨異想天開：假如網路是一個國度，網民需要哪些資格才配稱為網路公民？無國界的網路國家和領土國家能否攜手並進，邁越兩者間的鴻溝？網路公民如何自處於國家公民的身分？

國界與超越國界

國家這種政治實體，早期以民族或文化為特徵，後來逐漸演變為以地理線為區隔。但是全世界有六百種主要語言、五千個族群，卻只有兩百個國家，歷史上從來沒有一個真正由單一民族形成的國家；二十世紀中幾次大規模的國際移民波潮，更將所有當代大國塑造成多種族多文化的複合體。（認為日本是一個例外的人，不妨留意孫正義、吳百福、林海峰、王貞治等眾多外裔日人。）但是國家終究是一個鮮明的符號，它要求其公民對它忠誠，因此具有不可通融讓渡的封閉和排他性，最後難免在文化、種族、社群和國家各個板塊之間，產生巨大的摩擦和衝突。

為家忘一人，為村忘一家，為國忘一村，人與人的關係本來由近至遠，許多國家其實都有雙重公民的設計，例如美國聯邦與各州，或歐盟與歐盟成員國。但是這種多重公民身分基本上還是同心圓式的結構，並沒有真正跨越國土的界線。在地球越來越平、越熱、越擁擠的趨勢下，許多超越國家地理線的全球性風險，像是氣候變遷、傳染病、移民、國際犯罪、核武擴散等各種議題，都是個別國家無法單獨處理的全球問題，僵硬封閉的國土線，反倒成為解決問題的障礙。

因此，後現代社會需要更多超越國界的組織，最顯著的例子是跨國企業，它們固然以追逐利潤為最終目的，但是進步的企業也逐步將重要的核心價值——諸如社會責任、尊重、誠信——引進落後地區。而無遠弗屆、一發即至的網路，能夠帶動的能量更大，它既是一個工具，也是一個社群；如果網路是一個國度，它的速度、開放、包容和可塑性，不但可以彌補國家組織的封閉排外，還有可能產生良性的競爭互動。

積極公民與消極公民

網路如果是一個國度，它不會有任何統治階層，要能維持順利的運作，它需要兩類公民。第一類可以稱之為積極公民，他們認同網路的功能，也清楚網路有如任何人類的科技發明，既可以載舟，也能覆舟，因此他們貢獻時間精力，努力維護網路的開放和安全。有些人積極參加各種網路標準的訂定，舉辦研討會交流經驗和知識；有些人免費提供數位內容，如撰寫《維基百科》或專家知識；有人捍衛網路國度的自由和所有網路公民的基本權利，例如電子前線基金會（Electronic Frontier Foundation）；也有些人為其他網友解答各種疑難雜症。這一類公民不僅視積極參與為一種責任，甚至還是自我成長的一條必經之路。

然而這一類人畢竟屬於少數，為數更多的第二類消極公民，也許沒有積極公民的使命感，但是他們恪遵網路禮儀（Netiquette），確實做到推己及人，不會躲在電腦螢幕後面，使用各種粗暴煽動非理性的語言，霸凌素昧平生的網友；不會收集大量的郵箱地址，一再傳送不請自來的郵件宣揚自己的信念；更不會粗心大意，四處散布病毒或流氓軟件，殃及無辜。

網路公民將是最典型的後現代公民，網路推崇開放，因此必然多元。廣義來說，我們每一個人本來就擁有分屬不同軸心的各種「公民身分」，遊走在公司、校友會、教會、球友會等等不同「國家」之間。我們若在做為一個國家公民之外，對網路或其他團體的公民身分也有一分自覺和期許，應該可以在這兩者間找到一個最大公約數，兩者若有衝突，也正好凸顯出各自的局限。

我經常在清晨爬山。十年前，常在山路上遇到一位叫邁可的老人，七十歲上下的年紀，總是一個人，帶了一把刀或一支耙子，見到枝葉蔓蕪有礙山友行進，他就用刀清理出一片淨空，山路若不平整，他便用耙子爬梳出適當的坡度，以利水土保育。許久沒見到他，某天又在山路遇見，才知他患了巴金森氏症，行動雖已不太利索，那天仍帶了工具上山。此刻筆下寫到網路公民，當年那位山路公民的影像突然在心中浮現，縈繞不去。

註一：Michael Hauben（1973~2001），於十九歲時創造 Netizen 一詞，二十四歲與母親合著《*Netizens: On the History and Impact of Usenet and the Internet*》，二〇〇一年意外死亡，年僅二十八歲。

梅卡非與人際網路

在六度分隔的想法下，地球上任何兩個陌生人的距離，不過是一個熟識的朋友加上四個陌生人。

人際網路和機際網路最大的不同點，在於節點的價值，就是自己的實力。厚本培元，深植實力，人際網路才有可能錦上添花。

乙太網路（Ethernet）的發明人梅卡非（Bob Metcalfe）在八〇年代提出一項擬似科學（pseudoscience）的「梅卡非定律」（Metcalfe's Law），主張任何一個網路的價值跟網路中所擁有的節點（node）數成平方比：若網路中有n個節點，網路的價值即為n的平方，因此建設網路的成本雖然隨節點數n增加而呈線性成長，網路的價值卻以n的平方倍數成長。

對於梅卡非定律的數學準確性有許多爭議，但無可否認，它簡單明瞭，吻合人的直覺，無怪乎在這種思維推動下，各種 Web 2.0 的創意和商業模式如雨後春筍，紛紛追求節點數 n 的急速擴充。

六度分隔理論看人際網路

一個網路的節點可以是機器，也可以是人。現代人天天使用互聯網，幾乎像呼吸空氣一般，處處存在以至於渾然不覺，互聯網其實是一個龐大的人與機器並存的網路（Human-machine network）。隨著智慧型設備的進步，越來越多的機器彼此之間日以繼夜地自動聯繫、協調、監控、管理，形成一個物聯網（Inter-machine network 或 Internet of things），像是 P2P 下載、網路運算，或是 ZigBee 技術平台的各項應用，大部分的工作都在機器與機器之間完成，無需人的參與。

當然我們不能忘記，最古老的網路是人與人之間的關係所造成的人際網路（Human network），時下當紅的社會網路（Social network），說穿了不過是搭建在互聯網上的人際網路。關於人際網路，一個值得探討的問題是：梅卡非定律是否適用於人際網路？

討論這個問題之前，不妨談一下互聯網時代另一個時尚的觀念——六度分隔理論（six degrees of separation）。地球上任何一個人透過他所認識的朋友，間接聯絡上他們所各自認識的朋友，輾轉牽連，不需要超過六次，就可以跟這地球上另一個陌生人攀上關係。在六度分隔的想法下，地球上任何兩個陌生人的距離，不過是一個熟識的朋友加上四個陌生人，簡直是「天涯若比鄰、地球似一村」的寫照，這對於在互聯網上打造社會網路的創業者真是莫大的鼓舞。

數學上六度分隔理論很容易明瞭。二〇一一年十月三十一日，全球人口數已正式超越七十億，假設每一個人認識五十個朋友，五十的六次方就是一百五十億，遠遠超過地球人口，何況每個人的朋友有多有少，五十人應該是下限；當然兩個人的朋友難免有重複，而且人群分布各有叢集（cluster），台灣人民大部分朋友都住在台灣，要能跟住在美國的陌生人搭上線，只能靠少數閘道（gateway）；幾個因素互相抵消，世界遙遠的兩個角落裡，陌生人六度分隔的說法倒也不離譜。中國大陸雖大，但人際關係源遠流長，五度分隔應該合理；而以台灣之小，四度分隔大概可以涵蓋全部兩千三百萬人口。

交情與時間，人際網路隨節點遞減

人際網路和機際網路的第一個差別就是資訊在機際網路中傳遞，價值不因距離而改變（雖然成本和時效有稍許差別），一個封包（packet）無論轉手多少次，送到終點還是一模一樣的封包。人際網路則不同，見面三分情，一度分隔比二度分隔有價值，二度之後難免其淡如水，恐怕沒太多實用價值。

即使是一度分隔，兩個人之間的關係也有親疏差別，死黨、朋友，相識的作用天差地別，再加上兩人的關係經常不對稱，甲把乙當做朋友，乙卻可能沒把甲看成知己，才有民國初年「我的朋友胡適之」的舊典，或是現代商場上「我跟某某很熟，曾經跟他換了六次名片」的笑話。

人際網路的經營需要成本，對個人來說，這個成本就是時間。要能成為好朋友就需要投入更多的時間，少數的好朋友占據了大多的時間，自然沒太多空閒結識新的朋友；分給朋友的時間越多，留給自己的時間越少。每一個人都有相同的一天二十四小時，如何分配必須抉擇，這可跟機際網路大不相同。機際網路經營成本隨 n 呈線性成長，個人人際網路的經營成本（主要是時間）卻隨n呈非線性成長（是否為指數姑且存疑），何況每新增一個節點的效用，可能邊際遞減。

自己的實力就是節點的價值

人際網路和機際網路最大的不同點，在於節點的價值。機際網路節點的價值大致相同，容量、頻寬雖稍有差距，但影響不大；而在人際網路裡，一個節點（某一人）的價值，不只有高有低，甚至有正有負。所以社會網路的經營者，絕對不會對所有用戶一視同仁，常用戶、罕用戶各有不同的待遇，「意見領袖」必以上賓待之，「害群之馬」則及早隔離，以免劣幣驅逐良幣。

對個人來說，自己的人際網路中最重要的節點就是自己，這個節點的價值就是自己的實力（包括人格、知識、能力、經驗、名譽）。無論花費多少時間苦心經營的人際網路，只不過發揮一個乘數效果，自己的實力越強，乘數的效果越大；自己的實力是零，人際網路也無法無中生有；最可怕的是如果實力是負數，人際網路變成大喇叭，那才不堪設想。所以每個人經營的人際網路，應慎重考慮有多少時間分配給人際網路，多少留給自己，厚本培元，深植實力，人際網路才有可能錦上添花。

說了這許多，你可同意梅卡非定律無法充分表達人際網路的複雜和多面向？你可有衝動修改它，讓它可以適用人際網路？別太認真，即使在互聯網或物聯網，它也不過是一個擬似科學罷了。臉書的價值絕對不是八億用戶（統計至二〇一一年）的平方，一個人大概也只需要七個真正可以推心置腹的好朋友。

資訊的不對稱性

資訊的傳遞需要時間，必須花費成本才能取得，資訊擁有者必然用盡手段，保留關鍵資訊，取得交易優勢，這使得供需雙方往往處於「資訊不對稱」的常態，互聯網確實可以為強勢的資訊不對稱衝破一個缺口嗎？

誰都知道，買汽車保險的時候，想要保費低，扣除額必高，若想壓低扣除額，就得付較高的保費。這看似如蹺蹺板遊戲的普通常識，你能想像可以得到諾貝爾獎？

話說從頭，古典資本主義說穿了就是市場經濟（其實亞當・史密斯從來沒有用過 capitalism 一詞，他傳諸於世的貢獻是「那隻看不見的手」——市場），市場經濟的機能必須滿足兩個前提才能運作：一是自由市場（free market），每一個人為追求自己的利益，自由地在市場交易，沒有任何公共部門（如政府）的參與及干涉；另一項前提則是有效市場（efficient market），市場裡各種資訊既公開又即時，而且不需成本，人人唾手可得。

自由市場和有效市場如童話

這兩項前提，就好像牛頓力學三定律，只在真空中成立。凱因斯經濟理論崛起後，政府部門的參與成為經濟活動中重要的力量，自由市場早已成為童話故事；二〇〇八年的金融風暴，更證明迷信童話故事，難免在現實生活中付出慘痛代價。

至於有效市場，只不過是構建經濟模型的一個公設，在真實的市場運作裡，資訊的傳遞需要時間，必須花費成本才能取得，更何況資訊的擁有者必然用盡手段，保留關鍵資訊，以便在交易中取得優勢。因此，在市場運作中供需雙方往往擁有不對等的資訊，這種現象稱為「資訊不對稱」（Information Asymmetry），也不妨說它是資訊的顯性基因。

資訊不對稱既然是市場經濟的常態，就值得深入研究。二〇〇一年諾貝爾經濟學獎頒給史提格里茲（Joseph Stiglitz）等三位經濟學者，正為了他們在資訊不對稱的研究領域所做出的貢獻。由於他們的研究，產生了許多矯正或者因應資訊不對稱的理論及實務，雖然完全有效市場求之不可得，但是高效率總是強過低效率，資訊若過度傾斜，必然會影響市場的效率和公平。

資訊供應鏈先天不對稱

資訊從產生者流向最終使用者，自有它的供應鏈，供應鏈有它客觀的效率因素，也有供應鏈成員主觀的利益考量。在一切交易市場中，證券市場最接近有效市場，因此各國證券主管機構都採取種種嚴格措施，增加市場效率，減少利用不對稱資訊的優勢，謀求不當利益。例如上市公司發布重大消息，得遵守一定程序；公司提供給投資分析師的資訊，必須讓一般投資大眾同時取得；業務說明會或是每季度的公開說明，任何投資人都可以參加。這些措施，無非是著眼在增進資訊供應鏈的客觀效率。

至於資訊擁有者刻意操作資訊獲取利益，固然防不勝防，總得防微杜漸。此之所以董監事持股及買賣必須申報，甚至受到限制，員工在季報公布前若干天不得買賣（美國SEC的規定），上市初期有六個月禁售期，以及對內線交易採取刑事懲罰，杜絕因資訊不對稱而攫取暴利。

連最有效的證券市場資訊都有種種路障，一般的交易行為，資訊不對稱更是常態。例如買賣二手車，賣方不可能老實揭露各種毛病，買主除試車外也苦無其他良策，嚴重的知識不對稱不但限制二手車市場的發展，更壓抑了舊車成交價格，回過頭來影響了新車的銷售。許多汽車大廠為了解決這個問題，推出二手車回購計畫，經銷商購回舊車後，保養整修，還提供保固期，減少買方資訊不對稱的疑慮。

開頭提到的車輛保險，以及壽險、健康保險等，是另一類資訊不對稱的例子。買保險的人知道自己的健康狀況或是開車習慣，保險公司既無從得知，也不可能為了每一個人設計不同的保單。最後解決的辦法是保費和扣除額配套，扣除額高則保費低（適合健康不常看病、開車小心的人），扣除額低則保費高（適合常看醫生、開車莽撞的人），技巧地避開處於資訊不對稱的劣勢。

互聯網將終結資訊不對稱？

互聯網時代裡，人人有發言權，訊息彈指可得，讓人升起無窮希望，認為找到了解決資訊不對稱的根本方法。的確，傳統的報紙、收音機、電視都是單方向、一點對多點的資訊流動，部落格、微部落格如推特則是雙向、多點對多點，即時而且快速，確實可以為強勢的資訊不對稱衝破一個缺口（尤其在資訊管制嚴格的國家）。然而在一般狀況下，大量的資訊造成資訊接受者無法承受的負擔，即便想要處理，資訊量大，雜訊自然高，信號／雜訊比（S/N ratio）低，反而難以得到有價值的資訊。

也許有人要問：強調知識經濟，是否會加劇資訊不對稱的現象？這兩者間確實有關聯，在知識經濟裡，有價值的資訊往往具有獨占性（例如專利），當然不能與人分享，真有絕對的資訊對稱，恐怕知識經濟也就無法創造附加價值。

不過彼得·杜拉克當初倡言知識經濟，是在強調知識帶來的附加價值，後來的經濟學者討論資訊不對稱，卻是在研究如何公平分配資訊。正如經濟學裡既談生產，也得談分配，兩者缺一不可。現代社會既需要提倡知識以發展經濟，也應該共享知識以促進社會的公平。

為互聯網許個未來

最古典的網路中立，主張終端設備的用戶有絕對的主控權，
這跟當今實務有巨大落差，甚至將危害到互聯網未來的發展。
正如絕對的民主和自由不能消滅恐怖主義，
絕對的網路中立正是種種惡意軟件最肥沃的溫床。

許多年輕父親為稚齡兒子買生日禮物的時候，可能會面臨一項抉擇：該買一架帥氣的模型跑車，還是一盒四百片積木的樂高？要是讓兒子自己選擇，八成會挑玩具跑車，因為跑車多搶眼！在地板上推著跑多神氣！樂高可就費勁了，就算能拼湊出一輛車，跑也跑不快，更別提它有多醜。但望子成龍心切的父親，倒可能更傾向買盒樂高，因為兒子既得動手又得動腦，可達到寓教於樂的效果。

樂高與模型跑車的差別，在它們的滋生性（Generativity）。跑車只有一個用途、一種玩法，樂高能變化出無窮的造型，想像力是唯一的極限。在人類文明發展的進程裡，文字、筆、紙可以算是滋生性最強的發明；若盤點晚近一百年來的重大發明，也許PC可以拔得滋生性的頭籌。

高度滋生性的平台

一九七六年賈伯斯推出第一台蘋果電腦，悄悄拉開一場資訊革命的序幕，然而一直等到三年後第三者推出VisiCalc（第一套電子試算表軟件），蘋果電腦才真正開始大賣。個人電腦裝機數急劇成長後，乙太網（Ethernet）和數據機（modem）應運而起，將眾多的電腦孤島連成網路，醞釀了九〇年代的互聯網風潮，這一切發展都非當年賈伯斯始料所及。無法預知未來種種可能的應用，正是滋生性最可貴的特質。

互聯網是另一個具有高度滋生性的平台，從Web 1.0的Amazon、eBay、Netflex到Web 2.0的YouTube、Facebook、Groupon，創意連綿不斷，不但改變了人們交易和溝通的方式，甚至催化了人類社會結構的改變和權力的分布。

個人電腦和互聯網之所以能夠滋生無數的新點子，造就一波勝過一波的科技新秀公司，必須歸功於它們提供了一個開放的平台。「Wintel 幫」也許可以主宰ＰＣ的架構，但他們清楚知道，ＰＣ的成功，必須依賴眾多第三方的軟件和硬體推波助瀾；互聯網更是人類社會公共財，除了登記域名的組織之外，沒人能當家作主，也正因如此，後生小輩的新創公司才有出頭的機會。可不是嗎？谷歌的聲勢已經遠遠超過早五年成立的雅虎（Yahoo!），才沒幾年，又忽然發現臉書跟在後頭急起直追。

網路該有多中立？

一如美國開國元勳初始便將自由和民主設計在美國建國藍圖裡，互聯網的建網功臣如提姆・伯納斯李（Tim Berners-Lee）認為，互聯網的基石之一即是網路中立（Net Neutrality）。華裔學者吳修銘（Tim Wu）以電網為例，電力網路只管將電力輸配到宅，並不計較用戶插到電源插頭的電器用電高低、功能如何；同樣地，在網路中立的原則下，網路運營商、設備公司、政府也不應該對資訊封包採取差別待遇。他們擔心如果運營商能夠阻擋某類封包，難免厚此薄彼（譬如說 AT&T 可以封殺 Skype），最後終將形成壟斷，扼殺了寶貴的滋生性。

難就難在中立和自由民主一樣，都是相對卻無法衡量的概念。要多中立才算中立？最古典的網路中立，主張終端設備的用戶有絕對的主控權，在兩個終端之間，雲端的各個網點僅能忠實地傳送封包，絕不自作主張。這樣的理想不但跟當今實務有巨大落差，甚至將危害到互聯網未來的發展。

正如絕對的民主和自由不能消滅恐怖主義，絕對的中立、開放和毫無限制的滋生性，正是電腦病毒、垃圾郵件、間諜軟件等種種惡意件（bad ware）最肥沃的溫床。若不未雨綢繆，總有一天，開放的ＰＣ或互聯網架構會回歸到少數公司掌控的封閉系統。君不見蘋果公司封閉的 Mac 系統市場占有率逐年爬升，原因之一正是因為它極力宣傳 Mac 的防毒功能？等到它推出 iPhone 後，一切應用軟件想要放在 App Store 銷售，得經過蘋果公司核准，連市占率最高的 Flash 軟件都被硬生生地擋在門外。

權衡兩端，網路必須保持中立以防壟斷，但是中立過當反而會犧牲互聯網的開放性。哈佛法學院教授喬納森·齊特林（Jonathan Zittrain）在《網際網路的未來》（*The Future of The Internet–And How to Stop It*, 2008）一書中對此兩難著墨甚多，並且提出不少有趣的建議。

PC綠燈區與API中立

建議之一是將PC劃分成兩個虛擬區域。綠燈PC區是一個封閉的環境，在保守穩定的作業系統管制下，門禁森嚴，不可隨意安裝應用軟件，所有機密敏感的資料，全部保存在這個區域中，得到最高層級的保護。另一個紅燈PC區，一如現在的Windows環境，開放自由，使用者可以為所欲為，嘗試各種軟件或最新版本，對外只有最起碼的安全設限，一旦受到木馬屠城式的攻擊，只要按一下「重新啟動」的鈕，一切便能回到原始狀態。

另一項建議是不要光談網路中立，更該探討如何能增進應用程式介面的中立性（Application Programming Interface, API Neutrality）。時下各個應用程式各有它專屬的資料格式，使用這個程式產生出來的資料，不是變成該程式的禁臠，就是需要大費周章才能轉換成其他格式；有些公司大方地開放API，等到市場占有率提高，卻又一步一步收網，造成前後版本不相容的問題。如果API能夠高度中立，資料的可攜帶性獲得保障，對使用者而言是多大的福音。

這兩項建議其實正是時下軟件界發展的趨勢。桌面虛擬化（Desktop Virtualization）允許一台PC同時跑Windows、Mac或Linux，只不過各管各的資料，井水與河水不能互通。剛剛起步的資料虛擬化（Data Virtualization）針對這個問題，將資料提高到另一個層級，讓不同的應用程式能夠處理一套相同的資料。只是目前虛擬應用針對的市場多在大型企業或數據中心，要讓個人的應用簡單好用又便宜，還有相當長的一段距離。

探討網路中立或滋生性，初看只是一個互聯網的技術問題，拉著線頭繼續探索，看到它不免牽連到法律和產業秩序，再追根究柢下去，才發現它其實反映了一個社會的價值觀和政治體系。網路中立，似乎只見歐美社會關心，自從二〇〇九年谷歌和美國最大通信業者威瑞森（Verizon）宣布結盟後，美國媒體恐懼之餘，稱之為「網路中立終結篇」；然而對其他民主尚待發展的國家而言，網路中立這個議題根本沒放上檯面，這意味著什麼？

地球村，還是全球化山村？

人與人之間的隔閡，總是由物理距離和知識的差異所造成，結果這兩個瓶頸被現代科技解決了之後，才發現原來後面還有更難跨越的瓶頸，那就是人類的認知能力。若不能開放心靈，哪能有地球村呢？不過是無計其數喧鬧卻遺世獨立的山村罷了。

小孩坐在車裡不是老喊無聊嗎？當年我跟孩子常在開車回家時玩個遊戲，要他們估計什麼時候可以到家，他們年紀雖小，卻總能猜得八九不離十。人對空間的了解，首先當然靠眼睛，眼睛看不到的空間，尤其是距離，常常得透過時間去體會，實體空間與時間形成的心理空間自有一個轉換的關係。

人類從空間一點移動到另一點，由雙腳到騎乘，自海路到航空，交通工具越來越快，需要的時間越來越短，心理空間的距離也就越來越近。從前玄奘到印度求法，艱苦跋涉了十多個月，現代企業高級主管每三個月到歐美跟客戶開季度會報，來回不過兩天。許多人行腳頻繁，接觸的人遍布全球各角落，什麼世面都見過，不免自詡為地球公民，這小小的地球也成為他們口中的地球村。

地球村的美夢與現實

沒錯，主張「媒介即訊息」的傳播大師馬歇爾．麥克魯漢（Marshall McLuhan）早在一九六二年就提出地球村的概念。三十六年後雅虎上市，同年谷歌成立，互聯網的年代，訊息不再需要靠第三者來傳遞，彈指可得，線上聊天或視訊會議，無遠弗屆，人與人的溝通不再受距離所限，地球村簡直就是放在眼前的現實，而不是科幻小說中虛幻的夢想。無阻力的經濟，對稱的資訊，全球化的市場，扁平的地球，各種簡單動人的辭彙，不都是地球村的寫照？

然而最近幾年的發展趨勢，再一次提醒我們這些健忘的人，歷史發展畢竟不會照著一條直線的軌跡，更不會輕易遂了我們一廂情願的憧憬。就以互聯網最具威力的一項功能

「使用者回饋」來說，近來的研究顯示，理性回饋越來越少，自認不平則鳴、其實是脊髓反應的回饋者倒越來越多；更有甚者，在大陸或台灣還可以花錢僱請鍵盤工，幾角美金寫一封回饋，或吹噓拉捧，或譏訕謾罵，這樣的資訊算是對稱還是不對稱？谷歌在中國經過幾年慘澹經營，終究不能忍受官方設下重重限制資訊流通的門檻，宣布自中國大陸撤出，再有條件重新進入。知的自由只能在國家法律的緊箍咒下抓狂，這能叫扁平無阻力？

地球村的夢大概來自歷史的觀察：人與人之間的隔閡，總是由物理距離和知識的差異所造成。朝發夕至的交通工具，和應有盡有猶如百科全書般的互聯網，想當然耳可以打破這個隔閡。結果這兩個瓶頸被現代科技解決了以後，才發現原來後面還有更難跨越的瓶頸，那就是人類的認知能力。

地球村還是網路巴爾幹？

一九九七年，兩位麻省理工學院的學者寫了一篇重要的論文〈Electronic Community: Global Village or Cyberbalkan?〉，探討無阻力無成本的資訊流通，到底是否可以打造一個共存共亡的地球村，還是再度宿命般地演變為群雄並起、水火勢不相容的巴爾幹？

想想人與人之間的溝通，無論發送或接收，都有不少限制條件。第一是時間，扣掉睡覺吃飯工作等等，一個人每星期可以自由支配的時間不過二十小時左右，時間既然不夠用，當然只想跟自己志趣相投的人相往來，這好像調換收音機頻道一樣，幾十個電台，常聽的不過固定那幾台。

調對了頻道，還是難免有雜音，需要有個濾波器；消除了雜音，還得有個好的解碼器，才知道到底信號有什麼意義。同樣地，人的注意力、知識、認知能力縱然有高有低，終究都有無法突破的局限，這就是諾貝爾經濟學獎得主赫伯・塞蒙（Herbert Simon）著名的主張「有限理性」（bounded rationality）——人的理性有其無可超越的限制。

以有限擁抱無限

以有限的理性去擁抱無限的資訊，會造成什麼結果？兩位教授的論文中提出了幾個非常有趣的論說。

首先，若人們具有完全的理性，訊息越能夠自由流通，越能夠減輕各個社區或族群巴爾幹化的現象，這是想當然耳，每一個人直覺上都能了解。相反地，當理性有限的時候，虛擬的社區反而較實體社區更容易巴爾幹化。為什麼呢？因為一旦物理距離有所限制，百千種人同住一社區，總會有許多接觸的機會，見面三分情，不打不相識，時間久了多少能夠了解甚至於接受彼此的差異。在網路世界裡，距離不是問題，管他天涯海角，志趣相投的人隨時可以串聯，互相取暖，更加鞏固原來自己的看法，幹嘛還要去搭理眼前天天跟自己唱反調的異己？結果自然更深化了實體社區本來存在的差異。

另一個論說是，即使一個人的有限理性的容量增加了，如果他不刻意跳出自己熟悉的圈圈，巴爾幹的現象仍然存在。因為網路社區裡有交不完志同道合的好朋友，再多的溝通容量都不夠用，相濡以沫固然樂在其中，也提供了一個好藉口，對其他人等都貼上了非我族類的標籤。

還有一說，如果一個人有非常執著的看法或者喜好，他會逐漸退縮到他覺得最舒適自在的社區，結果跟其他的社區日漸疏離。人性天生如此，本來也沒什麼好奇怪，只不過網路世界能放大遠香近臭的魔力，越挑剔的人，越想逃脫糾纏不清的現實世界，自我放逐，乘桴浮於無限可能的網路之海。

從這些論點綜合觀之，無遠弗屆、瞬間即至的網路世界，不但不能為我們許一個「海內皆兄弟，天涯若比鄰」的地球村未來，還大有可能剝離現實生活人與人間的關係，結果縱使雞犬相聞，卻老死不相往來。若是人們不能開放心靈，以己度他情，關懷咫尺之遙的人事物，不時向身邊所謂非我族類遞出橄欖枝，哪能有地球村呢？還不是跟古老的村莊一樣，只不過是無計其數全球串聯、喧鬧卻遺世獨立、不知有漢無論魏晉的山村罷了。

第五部

綠色領航

綠色經濟、潔淨科技，與地球永續同步行。

公民工程師與公司工程師

每一個工程師所掌握的其實是整個地球資源的運用，
他們工作品質帶來的影響既深又遠。
當焦點從「公司利潤極大化」轉移到「全球資源運用極佳化」後，
全球性的標準更容易設定，客戶不再成為禁臠，自然能獲得更多的方便。

台達電董事長鄭崇華是台灣企業界中讓許多人景仰的一位長者，他的人格反映在台達電樸實正派的經營風格，也表現在他清恬低調的私人生活，他對社會的關懷和地球環保的關注，更提升了一位企業經營者社會責任的高度。二〇〇七年我參加玉山科技協會在北京的高峰論壇，鄭董事長應邀分享他的經營理念，他談到有一次他提醒台達電的工程主管，做為全世界最大的電源供應器生產廠商，台達電工程師所設計的電源供應器，如果一年增加一%的效率，就可以為全世界節省下一座核能電廠。

如果說「創新」是經濟發展的驅動力，這個驅動力的來源當然是工程師的腦袋。工程師除了是一個謀生的行業，也是一個對人類生活有深遠影響的職業，然而這麼重要的一個職業，似乎沒有聽過太多人談論這個職業該有哪些職業道德或使命？大家都知道醫學院的學生在成為醫生前，都必須宣誓恪守醫師誓言，其中有一句：「我對人類的生命，自受胎起，即始終寄予最高的尊敬。」律師、會計師雖然沒有正式的宣言，但都有業內普遍接受的職業守則，對於職業道德也有極高的要求。

掌握地球資源的公民工程師

當然，工程師與醫師、律師或會計師這三師工作的方式大不相同，後者通常可以單獨執行工作，工作的品質直接影響到個人的生命或一個個體的權益；工程師則多半需要集眾人之力完成一項任務，以致個人工作的貢獻不直接明顯。但如果仔細追究，每一個工程師所掌握的其實是整個地球資源的運用，他們工作品質帶來的影響既深又遠。

前昇陽電腦（Sun Microsystems）的技術長帕達多普洛斯（Greg Papadopoulos）和永續長（Chief

Sustainability Office，注意：這是一個新的頭銜）道格拉斯（David Douglas）曾經合寫了一本小書《公民工程師》（*Citizen Engineer*, 2009）。他們想要倡導的概念是：工程師不只是工程師，也是人類社會的公民；他的工程設計能力不只是自己謀生的工具，更對人類福祉和地球環境帶來久遠的衝擊；他的設計發明不只是一己的成就，也成為人類知識寶庫中的一項收藏、共享的資源。

追求利潤極大化的公司工程師

跟「公民工程師」做一個對比，過去二十年來大多數的工程師或許可以稱為「公司工程師」（Corporate Engineer），他們的任務在配合產品策劃部門達到公司利潤的極大化，過度的市場導向和追求利潤其實造成相當多的問題，甚至使得二〇〇八年嚴峻的經濟寒冬雪上加霜。

追求利潤極大化常見的第一個做法是，增加每一次銷售的收入。例如每一輛新車的買主平均每七年換車一次，與其賣一萬五千美元的新車，不如賣三萬美元，底特律的三大車廠在這樣的思維下，過去十年來設計的車款擴大車內空間，增加更多的配件，消耗更多的汽油，導致許多消費者對車廠的反感，認為車廠的困境乃罪由自取，進而反對美國政府針對車廠提出的紓困方案。在ＩＴ產業也有類似的經營思路，為了增加產品售價，工程師經常被要求絞盡腦汁，設計一些炫耀卻不常使用的功能。

第二個常見的做法，就是所謂的「刮鬍刀與刮鬍片」（razor and blade）策略。惠普（ＨＰ）的印表機就是一個著名的例子，一台印表機零售價可以低於五十美元，甚至免費，但是噴墨頭卻賣二十九美元，難道惠普聰明的工程師做不出鋼筆式的設計，可以重複添加墨水？同樣的思維下，許多醫療器材公司也特意設計出無法再次使用的耗材，無非想要創造一個像賣刮鬍刀片般源源不斷的收入來源。

第三種做法就是套牢客戶，使他們無所選擇，無路可去，只有繼續購買跟該廠商產品相容的周邊產品。當然，真正的創新必然獨特，因而不相容；但有更多的創新只不過是邊際改善（marginally better），短期間也許鎖定了一些客戶，終究還是資源的浪費。蘋果電腦是「創新」一個高明的例子，它的用戶多為死忠，它的市場占有率因而逐年升高；SONY 則是一個反面的例子，它所主導的藍光 DVD 固然險勝，致勝點卻不在於技術，而在內容，至於它大力推廣的獨家記憶卡（Memory Stick）標準，則根本是一個不必要的創新。

工程師職業道德的呼喚

在「公民工程師」的思維下，工程設計的前提自然跟「公司工程師」極為不同。當焦點從「公司利潤極大化」轉移到「全球資源運用極佳化」時，全球性的標準更容易設定，客戶不再成為禁臠，自然能獲得更多的方便；公司與公司之間有更多的合作與協調，避免激烈競爭所造成的重複投資，得以騰出資源應用在嶄新的領域；研究開發的成果能夠透過適當的機制共享，大家都可以「站在巨人的肩膀上」往前看。這樣的展望，短期間也許會讓某些公司或企業的利潤受到衝擊，但是長期來看，才是一個真正可以永續經營的大環境。

台灣雖小，工程資源卻極為豐沛，台灣的ＩＴ產業雖不到喊水會結凍的分量，卻也頓足有聲。鄭董事長「一％效率，等於一座核能電廠」的呼籲，將工程師的格局從「公司工程師」擴大到「公民工程師」，其實這不只是每一個工程師職業道德和良心的呼喚，也應該是全世界科技前景的寄望。

消費主義的代價

過多的選擇難免造成資源的浪費，在當前環保意識日益抬頭的時代，
消費者需要學習自處，以免被過多的選擇淹沒；
廠商需要學習自律，在不阻礙創新的前提下，
適當控制產品選項，減少消費者面臨選擇超荷的焦慮。

這個年頭，無論購買何種電子消費產品，手機、照相機、攝影機、放映機、電視、PC、MP3或機頂盒，都不免大費周章。整天鎮日各種消費資訊如排山倒海而來，新產品令人目眩的功能或造型，勾起消費者「想要」的欲望，一如女性面對滿櫥衣服，總覺得少那麼一件；男士備有滿架領帶，臨出門卻找不到一條來搭配新襯衫。另一方面，真正開始準備購買的時候，才發現各式各樣的選擇叫人眼花撩亂，想要做一個不後悔的決定，不僅費時耗力，還需要不少用一次即丟的知識（disposable knowledge）。

面對滿目琳琅、選擇超荷的商品，有一種人採取「包含法」（inclusion），只要這個新產品有一、兩項自己想要的功能，就忍不住買它下來，這種人乃是典型的「先期接受者」（early adopter）。另一種人用的是相反策略，或可稱「排除法」（exclusion），只要這個新產品沒有一、兩項自己覺得必要的功能，就不去買它，於是成為消費上的「落後者」（lagger）。

選擇是自由的指標、富裕的象徵

消費者得以自由選擇，本來就是市場機制的原動力，資本主義立論的基石。在消費主義（Consumerism）的大旗之下，消費既與人類生活福祉和快樂幸福劃成等號，提供更多的選擇當然成為廠商的天職。在市場行銷學裡，市場區隔（market segmentation）、產品差異化（product differentiation），甚至於價格的策略、利基的尋找，都是行銷人士人人皆備的基本功。

幾個招式套用下來，消費者的選擇自然呈等比級數增加。再加上企業國際化、市場全球化後，任何公司企業為了增加競爭力，一方面加強研究創新，開發新技術，增加新功能；一方面為了保護市場占有率，增加利潤，或者為了阻擋競爭者的入侵，智慧財產權成為既是攻擊也是防衛的武器，新興公司在強敵環伺之下，當然更要突出產品的種種新功能，提供客戶更多更好更新的選擇。

讓一般消費普羅大眾更無可奈何的是：出自於區域之間的競合關係，或是利益團體之間的合縱連橫，乃至於技術領先國家和追趕中國家的利益爭奪，規格標準的訂定更成為增加競爭力和利益保護主義無可妥協的生死之戰。倒楣的自然是消費者，平白又添加不少莫須有的選擇。

選擇是自由的指標，社會越自由民主，每一個公民必然擁有更多的選擇。選擇也是富裕的象徵，物質匱乏的社會，人們沒有太多選擇的餘地。但是選擇過多，是否也會邊際效用遞減？擁有更多的選擇，能讓我們更快樂嗎？在選擇爆炸的時代，可有任何因應之道？

選擇過多，反而延後購買的決定

在這行銷技術氾濫的時代裡，得到美國《商業週刊》（*Bloomberg Businessweek*）二〇〇四年十大暢銷書獎的《選擇的弔詭》（*The Paradox of Choice: Why More is Less*）（註一），作者貝瑞・史瓦茲（Barry Schwartz）提供了許多反向思考的材料。選項日益增多的趨勢恐怕很難阻擋，少數逆勢操作的公司倒也有可能獲得極大的成功（蘋果公司就是最好的例子，買蘋果的產品選項最少，只不過一般購買者在此之前，先得決定是買Wintel PC還是Mac），無論是市場的領航企業或是新興公司，值得下點功夫，好好研究如何提供客戶不多也不少的選項。

選擇過多，容易使購買者難以選擇，因而延後購買的決定，任何一個人在過去六個月中如果曾經考慮購買數位相機，應該都有類似的經驗。《選擇的弔詭》書中提到一個實驗，研究者在兩個超市各放置一個不同的攤位推銷果醬，客戶免費品嚐後可以得到一張折價券，一個攤位擺置了六種不同口味，另一個攤位放了二十四種，結果在六種口味的超市裡，三〇％品嚐過的客戶領取了折價券，購買果醬回家享用，而二十四種口味的超市卻只有三％。

直覺上，大家都可以接受過多的選擇一定會延長做決定的時間，但是三〇％與三％的差異實在非常懸殊，何以至此？這是由於複雜的人類心理因素作祟，《選擇的弔詭》對這「消費心理學」有詳盡而精彩的分析。

任何人面臨一個抉擇，他必然需要為自己的決定辯護。當選擇越多，他不但要為自己選擇的結果做更強的辯護，同時還要能夠解釋落選的為什麼沒有獲得青睞，因此做決定前必得先收集大量資訊。雖然網路發達使人更容易取得資訊，但也常讓人覺得眾說紛紜、莫衷一是，到頭來熟朋友一句無心的評論，可能變成做決定最重要的依據。

選擇越多，機會成本越高

購買的決定是數位式〇或一（買或不買），資訊多數是類比式（analog）。將眾多類比資訊，處理後產生〇與一的數位決定，是件非常困難的過程。坊間多少教人做決定的文章書籍，從設定目的（goals、objectives）開始，條列選項（choices），分析優劣（pros and cons），決定篩選標準（criteria）或考慮因素（factors），科學一點還可以加上權值（weight），這些方法不能說沒有效果，可惜人類究竟不是這種理性思考的動物。

就以設定目標來說，我們真的知道我們要什麼嗎？要設定一個目標，一則要靠記憶，一則要靠推測。但是人們對過去的記憶總是不可靠（只記得高峰、低谷和結尾），對未來的推測也不準確。有一個實驗要求兩組人用想像來列出超市的採買清單，一組人被要求天天上超市，另一組人三天上一次，經過多次模擬假想，統計後發現，被要求三天上一次的人所列出的雜貨種類式樣遠比一天一次的對照組為多。為什麼呢？也許在人們的想像裡，第二、三天想要換個新口味吧！

選擇得做取與捨，選擇越多，「取」的只有一個，「捨」的卻增加了不少，這難免會稀釋「取」的滿足感。再說選擇A，就不能選擇B，B成了A的機會成本，選項越多，機會成本越高。人們在做選擇時，要不就忘記考慮機會成本，要不就機會成本太高，難以做出決定，這都是選擇超荷（choice overload）的結果。

即使好不容易做了決定，選擇超荷還有其他的後遺症。後悔是人的天性之一，割愛的選擇越多，後悔的理由就越多，每想起那錯過的機會，就越讓人對現在擁有的無法滿意。人們為避免後悔，下意識裡常常用幾個策略：一是不做決定（不做不錯），一是讓別人做決定（錯了別怪我），再則是找一個王牌理由來捍衛自己的決定（例如說只要我喜歡，有什麼不可以）。

追求極優者較不快樂

選擇是經濟發展從匱乏到過剩的必然產物，從以上個體消費心理學的角度，更多的選擇並不能保證更多的快樂。從總體來看，美國的國內生產毛額（GDP）在過去三十年增加了一倍，但是自認為非常快樂的人口比例卻降低了五％，可見在「選擇超荷」的時代裡，追求快樂還得學會如何管理「選擇」。

史瓦茲在本書結尾也做了一些建議，乍看無非老生常談，細細體會，也有不少可供玩味之處。

有一種人做決定時，總是希望能挑中萬無一失、永不後悔的選項，為了達到這個目的，他訂的是最高的標準，收集最多的資訊，花了最多的時間，做了最多的比較，這種人被稱為「追求極優者」（maximizer）。另外一類人則僅訂了一個低標準，任何一個選項只要能達到這個低標準，他就可以接受，這種人稱為「滿意即可者」（satisficer）。「追求極優者」因為花費了遠較「滿意即可者」更多的時間與精力，因此有更高的期望，滿足感更容易消退、更容易失望，因此在臨床心理上，他們屬於較不快樂的一族。「滿意即可者」期望既然不高，反倒往往因知足而常樂。

應付選擇超荷最有效的方法，就是學習成為「滿意即可者」，避免成為「追求極優者」。

這當然並非易事，那麼不妨試著減少必須要做「極優選擇」的決定，甚至自願減少決定，或者減少選項。要做決定的時候，不只考慮機會成本，還得考慮機會成本的機會成本，同時儘可能讓決定不可逆轉。決定之後，對於決定的後果無論是否達到期望都心存感謝，自然會減少後悔的可能。

珍惜選擇的限制

最後一項也許是最難理解的，就是了解並珍惜各種限制條件。社會裡有許多法律、規章、禁忌、習俗，每個人日常生活裡有許多例行公事、紀律，這些固然局限了自由的選擇，卻也讓我們從無窮盡、無關緊要的選擇裡解放出來。除此之外，時間、財力的限制經常令人沮喪，然而如何在有限的條件下，能夠悠然自在地做出選擇，對於結果坦然接受、甘之如飴，才真正反映了人生的智慧。

過多的選擇難免造成資源的浪費，在當前環保意識日益抬頭的時代，消費者需要學習自處，以免被過多的選擇淹沒；廠商需要學習自律，在不阻礙創新的前提下，適當控制產品選項，減少消費者面臨選擇超荷的焦慮；政府部門或非營利組織也應因勢利導，負起其不可推卸的責任。選擇，本來就是過多猶不及（more is less），應該追求最佳而非最大（optimum instead of maximum）。

註一：中譯本《只想買條牛仔褲：選擇的弔詭》，天下雜誌出版，二〇〇四年十一月。

氣候變遷的易時易地觀

易時易地的技術，解放了時間與空間對個人的束縛，
但若牽涉到其他第三者，狀況可就完全不同，
譬如我家的垃圾可不可以放在你家的門口？父債是否應該子還？
發展潔淨科技，全地球居民必須對地球暖化的易時易地公平性建立共識。

現代電視族收看電視的習慣在過去十多年經過了兩次重大革命，先是TiVo在一九九九年推出個人化錄影機（PVR），電視觀眾可以預錄喜歡的電視節目，在自己最方便的時間觀賞，這種易時播放（Time Shift）技術，解放了觀眾，從此不需要準時到電視機前報到（除非看運動競賽即時轉播）。接著二〇〇四年Sling公司開發出易地播放（Place Shift）技術，只要能上網，天涯海角隨處可以看到家中預錄的電視節目，從此看電視不需要坐在

家裡的電視機前。

其實易時與易地也不是什麼新鮮的概念。將現金存在銀行以供未來使用，或者用信用卡現在消費未來買單，這可不是易時？一卡在手，全球可以提取現金，豈不是易地？

易時與易地，解放與責任

易時易地的技術，解放了時間與空間對個人的（一部分）束縛，的確是一大福音（當然也讓現代生活更複雜）。若是易時易地只牽涉到個人的財產或行為，能夠時空大挪移，誰不歡迎？但是如果易時易地牽涉到其他第三者，狀況可就完全不同，譬如說我家的垃圾可不可以放在你家的門口？父債是否應該子還？

這兩個小問題大家都知道答案，如果我們放大問題的尺寸，考慮全球暖化造成的氣候變遷問題，可就沒那麼單純。甚至可以說，要能改變氣候變遷，先要發展潔淨科技，發展潔淨科技得有足夠的誘因；要有誘因，全地球居民首先必須對地球暖化的易時易地公平性問題建立共識。

現代社會主要能源來源——化石燃料（石油、煤炭、天然氣），其實都是億萬年前太陽能的一種儲存方式，人類短短兩、三百年的石油文明很可能會耗盡幾億年來所累積的石油資源。這難道不是易時？

今天的地球暖化問題主要是西方先進國家過去一百年造成的，如今環保意識抬頭，但是先進國家是否有資格站在道德高點，毫無自慚地指責開發中國家使用大量低成本高污染的能源？更何況全球布局下，亞洲扮演起世界工廠的角色，製造需要更高的能源和更多的資源，可以說消耗地球資源、污染環境的罪名，有一部分是為先進國家的代罪羔羊。說這為易地，有何不妥？

為自己製造的二氧化碳繳稅

易地的公平性從來都是問題，以鄰為壑的老辦法越來越不可行；但是在一個社區或者一個國家之內，總還有一些解決途徑，透過民主的程序（抗議、示威、公聽、公投），國家機器主法執法的力量，加上商業利益的交換，總可以達成某些不盡滿意但可以勉強接受的妥協。然而全球氣候變遷的威脅沒有國界，一個國家大量排放二氧化碳，全世界兩百個國家共同承擔後果，國與國間的易地「公平性」，如何仲裁？

可惜二十一世紀初的人類社會，還沒有發展出如此高度的國際政治文明。少數國際協議如《京都協定》，道德勸說的意義大於法律約束，薄弱的自律力量也被如布希總統一流的單邊主義全盤否定。

倒是歐盟在道德勇氣的堅持下，持續推動二氧化碳的「溫室氣體排放總量管制與交易」（Cap and Trade），為二氧化碳所造成的大氣污染訂出成本。雖然這個辦法不盡完善，但總比放任無管制為佳。若是將來有一天，每一位世界公民不但要為自己的收入繳稅，也要為自己製造出來的二氧化碳納捐，這個時候，易地的公平性問題就徹底解決了。

期待跨世代正義

易地的問題猶可解，易時的公平性還遙不可期。每一個人看到「留一個乾淨的地球給子孫」的標語都會大為感動，可惜從感動到行動有一段很長的距離，僅僅靠道德訴求和感性的呼喚顯然不夠。

因此有的學者從法律的角度切入，如果能明文規定這一代人對後世代的福祉具有不可逃避的義務，就可以透過懲罰，約束這一代人的行為，一如父母有養育子女的義務。只不過它所跨越的時空，超出目前法學結構，尤其法律是由結果定義犯行，追究到犯意，才能加以定罪。這種跨世代正義（inter-generational justice）的法律裡，不但結果只會發生在遙遠的未來，後果有多嚴重大家都還爭論不休，又如何能只根據當下犯行和犯意就裁量入罪？

有的經濟學者則從成本和利益入手，如果後代的福禍可以透過現金折扣轉換成現值，現代的決策者所選擇的最佳方案不僅考慮這一代人，也考慮到未來的世代。這樣的思維當然會有所幫助，但是短期和長期利益之間的平衡與衝突，本來就是一個決策最困難的部分，轉換後代的福祉成為現值，並不能根本解決易時的公平性問題。

一時找不到答案，並不代表沒有答案，將問題提出來討論，也許就是答案的一部分。易時易地的公平性問題，最終的方向都會指向人與人、社群與社群、國與國、人類與地球之間關係的探討，要建立共識，先得把它們放在議程上！

藍色的搖籃

要能確保地球這「藍色的搖籃」不會有一天變成死灰的墓場，有人選擇過自願性的簡樸生活，有人每星期垃圾分類行禮如儀，有人在消費活動裡被動調整，有人在生產活動裡主動出擊，有人仍然以鄰為壑、我消費他人買單。你的選擇是什麼？

在樸素原始的農牧社會裡，人類對自然存有一種神秘的共同命運感。蒙古族的老牧人說：「草原與草是大命，狼、羊和人是小命，沒了大命，哪來小命？」印第安人不但認為萬物、人、天地渾然一體，甚至視穿越林梢的風聲，流過溪澗的潺潺水聲，都是大自然賜予的聖典（sacred scripts）。美國西雅圖市因其而得名的印第安酋長西雅圖說：「人不是生命萬物之網的編織者，人只是網中一絡短絲。人怎麼對待萬物之網，都將牽動他自己。」

工業革命開展之後，短短的兩百五十年，人與自然之間的關係也做了一番革命。人類的生產力不僅以十、百倍的成長，並且一再嘗試超越自然的局限。大自然的資源不僅為人所用，而且因人而有用，人類面對自然不再感覺渺小，終於以自然征服者的姿態粉墨登場。

人既為自然的征服者，便扮演了兩種角色。一是資源的擁有者，因為擁有，所以有權消耗，例如化石能源、礦產、金屬、水、森林等等資源，一切都可為增進人類生活而消耗；另一則是新資源的創造者，為了增進生產，消滅病害，許多新的化學藥品陸續在二十世紀中被創造發明出來，例如DDT、CFC（氟氯碳化物）、多氯聯苯、各種農藥，以及正如火如荼發展中的奈米材料等等。許多化學品甫問世時，常因為活命利生，使發明者名揚利得（例如DDT的發明人於一九四八年獲得諾貝爾獎），總要在多年以後，後人才能發現它們對自然造成的傷害。

人類一面巧取豪奪、竭澤而漁，一面無知地生產各種自然無法反芻的人工化學品，億萬年來收容人類及其他無數生物的生態圈，終於產生了緩慢而頑強的變化。

環保進程：永續發展與三個R

敲起第一聲警鐘的可能是一九六二年出版的《寂靜的春天》（*Silent Spring*）（註一），春天之所以寂靜，是因為鳥叫蟲鳴不再，此書的出版，最後導致DDT的全面禁用。一九七二年全球智囊組織羅馬俱樂部的名著《成長的極限》（*Limits to Growth*）（註二），提醒我們有限的資源終究無法支撐無止境的成長。一九八七年聯合國發表的《我們共同的未來》（*Our Common Future*），揭櫫了永續發展（sustainable development）的觀念——今天所做的種種開發，固然為了滿足今日人類所需，但不得危害到地球滿足未來人類需求的能力。二〇〇六年美國前副總統高爾出版的《不願面對的真相》（*An Inconvenient Truth*）（註三），終於喚起了各界人士對於全球暖化現象的重視。

這五十年來，環保意識固然顯著提高，但是以公益團體的力量推動商業利益機構行為的改變，過程緩慢，加上消費大眾要求更多、更好、更快、更便宜的產品是天賦的權力，更是基本的人性。無論美國式「簡樸生活」或是日本式「清貧思想」的籲求，終究只在少數自律性高的小眾人口內產生共鳴，對於金字塔中底層廣大的人口基數，難免還是陽春白雪、曲高和寡。

一九九二年，四十二位世界級的領導人共同參與創立了「企業永續發展學會」（Business Council for Sustainable Development），此學會首先提出「生態效率」（eco-efficiency）的觀念，主張企業追求效率，必須將資源的使用、對生態環境的衝擊計算在成本之內。除此之外，該學會也提出著名的三個 R 口號——減少（reduce）、再利用（reuse）及再生（recycle），從此成為全世界環保人士的共同信條。

生態效率：四倍數與十倍數

在世界人口持續增加，以及兩個人口眾多的超級巨國——中國大陸和印度——經濟高速成長的趨勢之下，資源開採及廢棄物的產生，必然造成地球難以負荷的重擔，提高生態效率可以降低或減緩經濟發展對環境的衝擊。回應生態效率的呼籲，上世紀末產生了兩個重要的運動：一是「四倍數」（Factor Four）主張，一是「十倍數」的訴求。

「四倍數」的口號是「幸福加倍，資源減半」；「十倍數」則認為在許多資源無法再生的限制下，使用一單位資源所能產生的一單位效力，應該以改善十倍為目標。無論是四倍或十倍，重點是企圖心，而不是絕對的數字。許多政府機構、企業組織和研究單位在生態效益的觀念領導之下，開始將其有限的研究開發資源，投注在減少對地球資源剝削的領域中，例如替代能源、LED照明、奈米技術等。

然而這一切努力是否足夠？至少有兩個人不以為然。威廉・麥唐諾（William McDonough）和麥克・布朗嘉（Michael Braungart）以兩人多年從事建築設計和研發化學材料的經驗，於二〇〇二年出版《從搖籃到搖籃》（*Cradle to Cradle: Remaking the Way We Make Things*）（註四），書中主要的主張是：當前所有產品使用的材料都是傳統的「從搖籃到墳墓」式，用一次即丟，即使回收再生使用，品質也大不如前；優質的材料應該是「從搖籃到搖籃」式，回收後再使用，可以嶄新如故。為了凸顯作者的主張，該書並未使用傳統紙張來印刷，而採用一種特別開發的塑膠材料，這種材料像紙一樣美觀，具備紙張的印刷、書寫等一切功能，而且可以完全再生（然而作者承認這種塑膠目前還沒有到完美無缺的階段）。

生態效力：從搖籃到搖籃

根據作者的分析，目前資源回收技術存在很多缺點。紙張是目前回收比例最高的資源，但是原生紙經過回收後，長纖維變短，再生紙只能用在次等產品；同時，大量化學品、漂白劑用在紙張再生的製程中，對環境造成更大的威脅；原有紙張的油墨或有害人體的化學品，因為再生紙的纖維較短，反倒容易揮發到空氣中。再以普遍回收的鋁罐來說，一般含有鋁和鋁鎂合金再加上其他表面塗料，放在一起熔解，結果造成較為次等的材料，這種再生做法並不是真正的再生循環（recycling），只是一種「向下循環」（down cycling）。

兩位作者認為，光談生態效率不能根本解決問題，生態效率只能提供「比最差的好一些」的答案，因此他們提出「生態效力」（eco-effectiveness）的觀念。兩者之間有什麼差別？舉例來說，採用再生紙來印刷書籍就是生態效率之下的解法，採用該書所使用的多聚合體材料，就是生態效力，因為這種材料可以完全回收。

以生態效力角度解決環境人我問題，考慮的是材料是否能完全生物分解，而且不會對生態造成負面衝擊。以螞蟻為例，全球螞蟻的總生物資量（bio mass）比人類還高，但是螞蟻不但沒有消耗任何資源，而且在生存過程中提供了許多可供其他生物生存的資源。或以櫻桃樹為師，它的光合作用調節了大氣層的成分，櫻花令人賞心悅目，生長時與各種生物、微生物共存，死之後枝幹分解，成為它們的養分。櫻桃樹不但完成它的任務——生產櫻桃，同時也提供了一個與大地生態共存的微生態。

這種境界當然是環保人士心目中的烏托邦，究竟是否可行呢？至少這是《從搖籃到搖籃》兩位作者努力的方向。他們為芝加哥市政大廈設計的屋頂花園，採用古老配方的材料，包括石頭、土、木屑、草根等，既可以種植，夏天可以散熱，冬天可以保溫，雨季可以儲水，更重要的是，原本一片兩萬平方英尺光禿的屋頂，成為一方生意盎然、招蜂引蝶的城市綠洲。

生物循環與技術循環

然而人類現代的需要太複雜，一切的材料如果都需百分之百生物分解，必然大大局限了可使用的材料，於此，兩位作者提出另一個重要新概念。他們將材料分成兩大類，一種是可生物循環（biological cycle）的材料，這種材料不僅百分之百生物分解，甚至可以成為整個生態有機體的一部分；另一類稱為技術循環（technical cycle）的材料，這種材料不能進行生物分解，但可以完全循環使用，每次回收並重複使用時，所有的物質都能充分回收，同時保持原有的品質。因為這兩種材料具有不同的性質，設計產品時應當仔細區隔兩種材料，以便進行不同的回收方式。

在現代的生產製程中，使用大量的化學材料進行催化、固著、穩定、塗漆、染色，使得原本可做生物循環的材料，如紙、包裝箱、紡織品等受到污染，如果能謹慎選用同樣能做生物循環的化學品，這一類紙或纖維製品將成為完全無害的生物循環成分，不僅回收時不受污染，棄置後也能成為大地的養分。

許多新開發的人工材料無法生物分解，這時最重要的是保證它能夠在技術循環中不斷重複使用，例如各種金屬、合金材料，尤其多聚合體等等。為了要達到這個目的，不但許多有害生態系統的化工原料不能使用，還需要開發一些新的材料。同時在應用各種材料設計一項產品時，設計者應該事先預想這項產品被拋棄的時候，是否很容易能夠拆解成各個不同的零件材料，分門別類，紙歸紙、金屬歸金屬，可生物循環的材料一類、只能技術循環的另一類，如此才能進行最有效的再生利用。

為了推廣這種新的設計觀念，兩位作者成立了一個諮詢組織MBDC（http://wwwmbdc.org），除了提供各種資訊和設計諮商服務之外，還提供軟件設計工具，以方便設計符合「從搖籃到搖籃」概念的各種產品。尤有進者，MBDC組織建立了產品正字標記，通過驗證的產品便可以使用「從搖籃到搖籃」的標誌。（將來有一天，這個標誌會像UL一樣成為產業標準嗎？）遺憾的是，目前通過這項檢驗合格的產品為數不多，僅有一百多項左右，其中包括紙尿布、辦公桌椅、地毯、清潔劑、建築材料等等。

第四個R：法令規章

妨礙永續發展最大的障礙，是資源的消費者與生態成本的負擔者往往不是同一群體。現代人可以毫無忌憚地消費，反正後果由後代負擔；先進國家的人民恣意揮霍，畢竟消耗的都是落後國家的資源；甲地產生過多無法處理的廢棄物，何妨運到乙地掩埋或堆置；A國的環保法令過於嚴格，不如轉移陣地到B國製造生產。

能力不足或不負責任的製造廠商生產出環保不及格的產品，若後果由消費者承擔，廠商便沒有任何壓力進行改善。有鑑於此，歐洲許多國家十幾年前便開始推動生產廠商有責任回收各種包裝材料，例如德國訂立汽車壽終法，汽車製造廠商必須回收報廢的汽車。可惜美國為全世界最大的消費國度，到現在為止，還沒有太多類似的法令。

如果設計者、製造者必須處理產品種種善後的工作，如果消費者必須負擔一切現在和未來的成本，利益與責任、消費與義務能夠統一，所有環境的問題也許有機會從根本面重新思考。無怪乎近來很多關心生態的人士同時強調第四個R——法令規章（regulation），期望透過立法的力量，加快環保落實的速度。

前蘇聯一位太空人進入太空後，望見遙遠的地球，大不及指，不禁動情地說：「地球如此微小，泛藍幽光，如此孤單脆危，我們怎能不像保駕聖物般來保衛我們唯一的家園？」要能確保這藍色的搖籃不會有一天變成死灰的墓場，我們中間有些人選擇過自願性的簡樸生活，有些人每星期垃圾分類行禮如儀，有些人仍然以鄰為壑、我消費他人買單，有些人在消費活動裡被動調整，有些人在生產活動裡主動出擊（註五）。你的選擇是什麼？

註一：《寂靜的春天》中譯新版，晨星出版，二〇〇八年五月。

註二：《成長的極限》中譯增訂新版，臉譜出版，二〇〇七年一月。

註三：《不願面對的真相》中譯本，商周出版，二〇〇七年四月。

註四：《從搖籃到搖籃：綠色經濟的設計提案》中譯本，野人出版，二〇〇八年一月。

註五：消極的環保人士戮力於減少個人二氧化碳的排放，以期不留碳足印（carbon footprint），然而人只要活著，必留碳足印，零足印絕無可能。因此有人開始倡導碳手印（carbon handprint）的觀念，積極從事減碳的各種活動、創新或宣傳，以抵消碳足印，《時代雜誌》（二〇一二年三月十二日刊）將其列為改變未來人類生活十大觀念之一。

要潔淨，先要透明

被動消極的環保議題，如今變成主動出擊的潔淨科技新顯學，
但是科技並非萬能，我們還需要更周延更透明的資訊。
資訊透明後人人可以比較，比較之後形成壓力，
壓力自然帶來競爭和進步，鞭策製造廠商開發出更為綠色的產品。

一九九一年我赴德國出差，到超級市場買水果，結帳時發現塑膠袋得付錢；大約相同的年代到雲南省親，早上出去買早點，燒餅油條用舊報紙一包，要個塑膠袋居然也得付錢。原因雖然不同，落後的中國在塑膠袋的問題上倒是歪打正著，跟先進的歐洲完全接軌。當時我不免杞人憂天地擔心，有一天中國大陸民生經濟發達起來，學習美國買東西奉送塑袋，這該算進步還是退步？

其實美國超市多年來一向讓顧客選擇「紙袋或塑袋？」擔憂森林砍伐影響水土保持的「愛樹人」（Tree Hugger）選擇塑袋，痛恨塑袋充塞生態圈百年不得分解的保育人士自然選擇紙袋。兩方陣營打個平手，環保的議題巧妙地轉嫁成消費者的選擇。

綠色話題左右為難

二十年來，被動消極的環保議題鹹魚翻生，變成主動出擊的潔淨科技新顯學。替代能源、低碳減排、資源回收、水源保護、永續農業，這些課題不再是少數環保人士抗議示威的專利，不但報章雜誌成篇累牘地報導，學術和產業機構投入大量的研究經費，政府部門也紛紛推出各種獎勵政策。

然而潔淨科技面臨的挑戰，仍然跟當年塑膠袋的抉擇類似，提高生活水準與永續生存孰先孰後？方案 A 和方案 B 的利弊如何權衡取捨？應該先有明確答案才採取行動，還是效法「巴斯卡之賭」寧信其有、先做再說，以免將來後悔？這些兩難的抉擇，在潔淨科技的領域中遍地都是，俯手可拾。這裡不妨舉幾個例子：

一、石油不可再生，乙醇（ethanol）可以，乙醇混在汽油裡還可以減少對環境的汙染，因此許多政府對乙醇提供補貼，汽車公司推出使用八五％乙醇燃料的E八五汽車，以至於乙醇的產量節節上升。但是因為目前生產乙醇的技術不夠進步，尚無法直接從牧草或木屑直接提煉，只能採用玉米、甘蔗等較高等的農作物，結果造成玉米價格飛漲，食物短缺；更有甚者，因為種植面積擴大，化學肥料對土壤和水資源造成的傷害無可估計。

二、「非核家園」是許多愛鄉愛土人士的理想，核廢料的問題確實令人不悅，核能廠安全的顧慮也讓人如坐針氈，可是核能也是當前最乾淨、對環境衝擊最小的能源（例如法國七〇％以上的電力來自於核能，它發電的排碳量是其他國家的十分之一，六三％的法國人以此為榮）。小區域的安全考量和大區域的利益衝突如何協調折衷？

三、美國政府為了振興三大汽車公司的頹勢，幫助消化庫存，在二〇〇九年七月推出「破車換新」（Cash for Clunkers）計畫，賣家中耗油的老爺車買省油的新車，每加侖多跑十英里，就可得到四千五百美元補貼。短短兩個月時間換出了七十萬輛新車，這些風雨飄搖的大汽車廠等於吃了一服大補帖。但為了防止耗油的舊車繼續在二手市場流通，這項獎勵計畫要求舊車必須整車報廢，使得原來還有殘餘使用價值的舊車提早結束壽命。新車節省了少許汽油，卻浪費了舊車資源，這筆帳怎麼算？

四、美國能源四五％花在建築物的建造使用和維護，華裔能源部長朱棣文提出一個充滿創意的想法，如果把全國所有的屋頂都漆成白色，冬暖夏涼，因少開冷暖氣而減少的二氧化碳，相當於全國汽車十一年的排放量。只是誰能忍受放眼望去一片耀眼的白屋頂？難怪有人開玩笑說這項措施的經濟受益人有兩個：白油漆和太陽眼鏡生產廠商。潔淨科技最終還是要通過舒適和美觀的考驗，難就難在每一個人的標準和喜好都不大相同。

綠色成本徹底透明

類似的兩難，有些是父子騎驢，順了姑意拂嫂意，有些要等到潔淨科技有所突破，問題自然迎刃而解。但是科技並非萬能，我們還需要更周延更透明的資訊，才能破解環環相扣的因素，做出比較正確的決策（包括科技政策的制訂）。這裡有兩個觀念，值得有識之士努力推動。

第一是擴大成本的觀念。資本主義兩百年，產品和成本向來用貨幣單位衡量，而且只計算製造或採購成本。可不可以考慮加上能源的成本？或者是二氧化碳的排放量？剛開頭不見得用金錢單位計算，只要能統計出一項產品從搖籃到墳墓（製造、使用、報廢）所需要的總能源，或是排放的二氧化碳，就能按圖索驥，從最關鍵處下手節能減碳。

第二是讓以上得到的資訊全面公開透明化。一如當年首創《EQ》（*Emotional Intelligence*）概念的暢銷作家丹尼爾・高曼（Daniel Goleman），在他的新書《綠色EQ》（*Ecological Intelligence*）（註一）中所提倡的徹底透明化（radical transparency）。資訊透明後人人可以比較，比較之後形成壓力，壓力自然帶來競爭和進步。完整透明的資訊就像產品標籤上標示的成分，把裁判權交回到消費者手上，消費者用鈔票投票，鞭策製造廠商的進步，開發出更為綠色的產品。

朱棣文在二〇〇九年宣布，美國能源部編列一億五千萬美元的研發經費，提供三十七個單位進行潔淨科技的基礎研究，這些研究充滿風險。朱棣文說：「風險越大，報酬越高，這三十七項研究只要有三件成功就值回代價。」要能做到潔淨科技的資訊全面透明化，挑戰當然很高，但因事關重大（the stake is high），更需要全民推手大力鼓吹。

註一：丹尼爾・高曼寫完《EQ》一舉成名後，曾陸續提出 Social Intelligence 和 Ecological Intelligence 的觀念，前者中譯本書名《SQ：I-You 共融的社會智能》，時報文化出版，二〇〇七年九月；後者中譯本書名《綠色EQ》，時報文化出版，二〇一〇年三月。

滅蚊說

可有生物只有害而無利？
人類是否可以放膽下手消滅某一種生物，而不必擔心任何後顧之憂？
人類帶來的變遷既不可逆轉，也必然會持續，
剩下還可以做的，只有減緩變遷的速度，多給地球一點時間。

二〇一〇年七月英國《自然》（*Nature*）雜誌有一篇文章：〈一個沒有蚊子的世界〉。這世界上，恐怕沒什麼人會對蚊子心存好感（唯有寫《浮生六記》的沈三白小時候在帳子裡向蚊子噴煙，想像成青雲白鶴的美景），更何況每年全球由瘧蚊媒介感染瘧疾的人數高達三億，死亡人數超過一百萬。蚊子，一如蒼蠅、蟑螂、老鼠，人人都想去之而後快。

蚊子生存在地球的年代超過一億年，演化到今天，光是品種就有三千五百種之多，想要蚊子在地球上絕跡，雖然純粹是科學家的異想，卻也是一個值得深思的生態課題：可有生物只有害而無利？人類是否可以放膽下手消滅某一種生物，而不必擔心任何後顧之憂？

物種數目五落五起

地球已經高齡四十五億年，在有生命存在的三十五億年裡，生物物種曾經經過五次大滅絕，然而歸功於演化，物種的數目總是能夠逐漸回升。一直等到一萬年前，人類開始活躍在這地球的舞台，生物物種的數目便開始迅速下降；雖然人類用人工的方式培養出許多新的品種（譬如上千種的寵物狗多數來自幾千年來的人工培育，幾百種所謂的祖傳番茄都是近百年來的新品種），但是數目遠不及因居住環境變遷而滅絕的品種。憂心忡忡的生態學者於是高聲呼籲：我們必須儘早保衛「生物多樣性」（biodiversity）。

生物多樣性包括多樣化的基因、物種和生態環境，這三者彼此關聯。必須有各式各樣多變化的生態環境，才能滋生養育種種不同的物種，不同的物種共存，才能維護豐富的基因庫，使之代代相傳。值得探討的問題是：為什麼要多樣化？多樣化有什麼好處？多樣是否越多越好？還是有個最佳值，超過最佳值的多樣化，只會徒增負擔？

從宗教家的角度來看，萬物的存在有它先設的意義，多樣與否，上帝或冥冥中自有決定，人力的干涉必當遭受譴責。在文學家、藝術家的眼中，多彩多姿的生物世界，是美的極致表現，更是靈感的源泉，多樣永遠勝於單調。這兩種觀點牽涉的領域，科學家無從置喙，那麼科學家怎麼看這個問題呢？

多樣化，能否增加穩定性？

如果把一個生態環境當成一個系統（熟悉美國亞利桑那州「生物圈」Biosphere 計畫的人知道，將一個系統完完全全自其環境切割出來何其困難），科學家關心多樣化是否會影響系統的生產力和穩定性。要衡量生產力可是一個難題，一個想法是計算生態系統裡生物質量（biomass）的總量，看看越多樣化的生態系統，是否能夠產生越多的生物質量。

直覺上，生物多樣化對於生產力應該有正面的幫助，因為不同的物種可以利用不同的資源，例如地面和水下植物能夠吸收不同波長的陽光；物種之間也可以互補，例如動物以植物為食，植物靠動物傳播種子。但是人類對於環境所做的一切改善，總是以增加生產力為出發點，雖然常犧牲物種的多樣性，生產力確實得到提高，要不然怎能養活過去四十年地球上增加一倍的人口。人為控制的少樣化，生產力固然增加，問題是能否永遠持續？因此多樣化議題的關鍵在穩定性，而不在生產力。

多樣性與穩定性之間的消長關係，從一九七〇年代科學家就開始了激烈的辯論（diversity-stability debate）。一位科學家建立了一個數學模型發現，太多樣化，系統容易趨向不穩定（這並不違反直覺，暫借用一個非生態系統為例：一個社會組織中意見太多，豈不常分崩離析？）。但是另一位科學家對這個模型做了修正，結果發現如果系統裡的成員高度相互依賴，而不是簡單的隨機關係，多樣化反倒有助於穩定性（例如爭論不休而社區意識強韌的民主社會比專制社會穩定），這個結論也被不少大規模的生態實驗證實。

但是這些實驗並不能回答另一個問題：多樣化是否也會效用遞減，甚至超過最佳值之後，反倒有害穩定性？果真如此，減少若干物種也許不見得造成後患，尤其像蚊子蟑螂者流，沒了牠們，好處人人立即可以享受，壞處誰也不確定。

的確有許多生物學者採取這樣的觀點，何況歷史上經過許多次物種大滅絕，每次地球上生存的物種數目總是能夠逐漸回升，即使過去數千年受到人類破壞，物種數目逐年降低，地球照樣運轉，人類依然繁衍不息，更讓人相信地球生態似乎有無限自我療癒的能力。一個物種萬一真的滅絕，自有另一個物種取代它的功能，那又何必杞人憂天呢？

地球自有它的臨界點

爭論到此，已經走到了現代科學的盡頭，再複雜的數學模型，規模再龐大的生態實驗，也無法模擬真實的生態。任何一個生態系統，即使是一個人的身體，都是一個複雜系統（complex system）；整個地球，更是一個錯綜交織、難以分割的極度複雜系統。如果非洲的蝴蝶搧動一下翅膀，就會造成美洲的龍捲風；蚊子的幼蟲孑孓在水中的扭動，就像打氣幫浦一樣能將空氣打進水中，我們又如何能夠確知我們掌握了生態鏈裡的每一個鏈連？我們如何能精準地量度每一個參數？如何能保證小規模實驗的結果適用於全球的尺度？

這時候，我們可能需要放棄科學的驗證，而用另一個角度來思考這個問題。做過工程師的人都知道，任何一個系統都有它的安全臨界值，超過臨界值，系統就會崩潰（當機）。

地球確實有驚人的自我療癒能力，但是它仍然有它的臨界點。雖然沒有人真正知道臨界點在哪裡，但盲目地相信地球有無限的自癒功能，顯然有極大的風險。

其次是，地球從來沒有應付過像人類如此這般具有侵略性的房客。人類在短短的幾萬年之內，開荒闢野，大規模改變所有生物居住的生態環境，不僅造成許多物種的滅絕，還創造出不少前所未見的新品種；四十五億歲的老地球海枯石爛、星移物換的場面見多了，但是人力引進的變化速度快得讓它目不暇給。如果真要蚊子絕種，花上五年、五十年或五百年的時間，地球反應的激烈程度必然大不相同。地球上的變化常是循環的形式，人為因素不僅使振盪的振幅變大，也使得週期變短。振幅太大，過了臨界點，鐘擺便不會再回頭。週期太快，短於地球的反應週期，鐘擺依然一去不回。

謙卑、耐心，心態比知識重要

即使我們採取絕對人本位的立場，地球可以調適，我們能嗎？我們可能對大地的回應甘之如飴？兩河流域曾經山高水長，動植物豐美富饒，而成為人類文明的搖籃，五千年後的今天卻僅剩一片漫漫黃沙。若是今日的曼哈頓、矽谷或北京，未來變成兀自孤立於沙漠中的杜拜、拉斯維加斯或烏魯木齊，我們可願付出調適的代價？

面對生物多樣性這個複雜難以充分掌握的議題，心態可能比有限的知識重要。謙卑，是第一個適當的心態，我們不能高估我們的科學知識和地球的自癒能力，也不可低估人類科技的破壞力和地球反撲的毀滅力。其次得有耐心，人類帶來的變遷既不可逆轉，也必然會持續，剩下還可以做的，只有減緩變遷的速度，多給地球一點時間，讓它應付劇變之餘，還能夠喘口氣。真要滅蚊，何妨做個五百年計畫。

種子的希望與憂慮

自然繁殖的種子的知識權，究竟屬於全人類、出產國還是農民？育種者用傳統雜交方法培育的新品種，有哪些知識權？用現代科技方法改造基因而產生的創新品種，知識權有何不同？這場種子戰爭，不僅只商業利益和國家正義，對生態鏈的衝擊也難以估計。

一八五一年英國主辦了第一屆世界博覽會，在倫敦海德公園建了一座摩登而巨大的水晶宮，十二個足球場大的玻璃建築，一萬四千個參展單位，驕傲地向世界展示大英帝國工業革命百年累積的雄厚國力。

二〇一〇年在上海舉行的第四十一屆世博會，英國國力早已今非昔比，但是造型突出的英國館，遠遠望去有人說像蒲公英，也有人說像駐守白金漢宮前御林軍頭上戴的熊皮絨帽。前衛的設計概念，不減當年日不落帝國的風華。

從種子聖殿到種子戰爭

英國館由六萬根七．五米長的透明壓克力棒組成，每根棒向外展延，整個建築像刺蝟一般渾身是刺。壓克力棒稍有彈性，白天隨風搖曳，又可以導光，晚上晶晶閃閃。每一根棒在室內的一端，則密密封實了幾顆種子。走在館內，沒有繁複的裝飾，了無圖案文字，只見一室長長短短的透明棒，棒頭上或粒或針或片、形形色色的種子，概念簡單卻意涵豐富，讓英國館博得「種子聖殿」（Seed Cathedral）的暱稱。

大部分參觀英國館的觀眾，從這幾十萬顆種子看到希望，看到環境保育，看到未來無限的潛力，因而受到很大的感動。諷刺的是，也有少數人不免聯想起數百年工業國家對農業國家的剝削，北半球與南半球經濟發展的落差，以及近五十年來先進國家與落後國家之間的種子戰爭。

地球上植物物種的分配並不均勻，三分之二的物種生長在人口密度較低、土地面積較小的南半球，人口稠密的北半球主要的經濟農作物都引自南半球。馬鈴薯於一五三六年由西班牙人自南美安地斯山脈引進歐洲，有人認為哥倫布帶回了番茄，舉世聞名的歐洲咖啡其實原產於非洲衣索比亞。自從英國取代西班牙掌握海上霸權後，更派遣植物學家跟隨海上艦隊一次一次出航，有系統地蒐集全世界的植物標本與種子，收藏在新建的皇家植物園裡。

這次與昆明植物研究所合作提供世博英國館幾十萬顆種子的英國皇家裘園（Kew Royal Botanic Garden），便是這個時代的產物。它成立於一七五九年，附設的「千禧種子銀行」（Millenium Seed Bank）貯藏了兩萬四千兩百種不同品種的種子，占全世界植物物種的一〇%，並且訂下目標，預計在二〇二〇年達到二五%。

種子的智慧財產權

種子的培育，是人類文明最古老的知識。在知識產權的世代，種子的智慧財產權衍生出許多尖銳的議題。奈及利亞籍的法律教授 Ikechi Mgbeoji 在他二〇〇六年出版的《*Global Biopiracy: Patents, Plants, and Indigenous Knowledge*》中有極為詳盡的討論。

你可想過，自然繁殖的種子的知識權，究竟屬於全人類、出產國還是農民？還有，育種者用傳統雜交方法培育的新品種，有哪些知識權？再說，用現代科技方法改造基因而產生的創新品種，知識權有何不同？

過去四百年中，南半球是各種植物品種的淨輸出地區，北半球的一貫主張是植物物種屬於人類的共同遺產（Common heritage of mankind），因此巴西的橡膠樹種子可以出口（許多歷史學家認定為走私）到東南亞，一百年後東南亞成為全世界最主要的橡膠生產地區；治療瘧疾的奎寧，也被荷蘭人在十九世紀走私到爪哇種植成功；其他許多經濟農作物，如甘蔗、棉花、玉米等等，都在殖民地農墾莊園之間自由移植。

經過南半球國家多年來的抗爭，近二十年來，國際組織普遍採取了新的觀點，植物和使用植物的傳統知識（例如中醫對中藥的知識），屬於主權國的自轄權。但是沒有解決的問題是，先進國家過去在各個區域廣泛成立的農業研究中心，收集數量龐大的各種種子，甚至部分植物在原產國已經瀕臨絕種，這些種子的究竟所有權，至今沒有定論。

種子公司和農夫的兩相角力

發現或培育新品種，傳統農業社會多半由婦女擔任，成果由整個社區共同分享。現代農業分工精細，應運產生許多專業的育種者，早期是公家設立的育種中心，開發成果仍然公開共享。後來商業種子公司興起，他們營業額成長的最大瓶頸是種子只能賣一次，因而不免夢想若是農夫只能播種，不能收成種子，每次下種都必須買新的種子，這些種子公司的生意不就每年都能源源不斷？

可是，亙古以來農夫從來都採集自己作物的種子以供來年使用，新品種的種子只需買一次，以後便可以自給自足。種子供應商和農夫兩者的利益顯然互相衝突。兩相角力，結果種子公司透過國際組織的運作，成功地建立「植物育種者權」的法律（Plant Breeders' Rights），得以享有二十年壟斷的權利，阻擋其他種子公司種植販賣相同品種；弱勢的農夫團體為了自救，趕緊提出「農夫權」（Farmers' Rights）的概念以為對抗，保住了種子可以自種自用的傳統權利（但是農夫之間可否以種換種，仍然是爭執的焦點）。

基因改造技術成熟後，天然物種的基因可以用人工方式嵌入具有特殊功能的基因，產生自然物種不可能具備的生物特性。孟山都（Monsanto）公司在九〇年代成功地開發出抗自家農藥的轉基因（genetically modified）大豆和玉米種子，由於產量高出傳統天然種子，十幾年來席捲全球市場，如今美國八〇%的玉米都產自孟山都提供的轉基因種子。

其實能夠享有如此高的市占率，還有一個最重要的原因，就是專利保護。孟山都以專利為武器，要求農夫簽約，不得自己採集種子，只能向孟山都購買新種子，同時又積極採取訴訟手段，十年來提出了數千件法律訴訟。薄弱的農夫權，遇到強勢的專利權，幾乎毫無招架之力。

傳統種子的終結者

生物技術還有一項秘密武器，就是終結者技術（terminator's technology），種子只有生長的機能，卻無法再繁殖。「去勢」之後，種子公司再也不需要用訴訟手段，恐嚇農夫不可自行收穫種子。這項專利由美國 Delta and Pine Land Company 取得，孟山都經過十年的追求，終於在二〇〇六年成功買下這家公司，擁有了這項讓傳統農業國家寢食難安的技術。

這場種子的戰爭，目前高居上風的是擁有技術、財力資源，及法律後盾的工業先進國家，他們擁有的十大種子公司，二〇〇六年就已經享有超過七〇%的市場份額。傳統農業國家的鬱卒和憤怒可想而知，想當年他們的農業技術無償輸出到先進國，先進國改良後，建立各種智慧財產權保護壁壘，現在反過來掐住落後國家農業發展的咽喉，難怪他們指控先進國家的這種行為簡直是「生物剽竊」（biopiracy）。

種子牽涉的問題層面不僅只商業利益，還關係著國家安全、第三世界的飢餓與貧窮問題、南北半球的歷史正義。種子，既是國際政治論壇檯面上的議題，也常是檯面下各國政治經濟實力的競技場。更深刻的憂慮則是，成功的種子科技和智慧產權策略，必將導致少數品種壟斷農地面積，降低物種多樣性，對生態鏈有何衝擊難以估計；而改良基因種子對人類健康是否有任何負面影響，甚至最後有無可能產生植物中的科學怪人法蘭根斯坦（Frankenstein），也不是五年、十年之內可以得知的了。

抗老與敬老

有人視老化為問題，故全力謀求抗老之道；有人視老化為現象，則學習順應與自我調適。生醫人士掌握技術，多持抗老立場，致力於尋找長壽的秘訣，但人類追求青春不老的心理，會產生哪些新的社會問題？

若從藏書可以認識一個人，從書店不難窺見一個社會。十年前到上海福州路逛書店，管理財經的書籍充斥新書出版區，五年前保健養生慢慢形成專區，這一兩年旅遊休閒的各種叢書應運而生。其實台北也曾歷經類似的進程，只不過現在書店裡各類圖書分據一隅，各擁其讀者，社會顯學的現象不再明顯。

對保健養生的關注，反映了社會富裕的程度。如果圖書出版可以做為一個指標，投資趨勢何嘗不可？台灣政府近三年大力提倡生技產業，並積極主導成立生技基金，產業升級的壓力是主要動力，富裕社會加上老齡化也是客觀的環境誘因。

過去一百年，人類平均壽命增加的幅度前所未見。以美國而言，一九〇〇年嬰兒出生時的平均壽命（average life span）是四十八歲，二〇〇〇年增加到七十五歲，壽命延長二十七年。但若觀察不同年齡層的平均預期壽命（average life expectancy），百年前五十歲的人平均預期能活到七十一歲，百年後到七十八歲，不過增加了七年；至於七十歲的人口群，則從七十九歲增加到八十三歲，僅只四年而已。

長壽醫學的無限想像

這幾個數字反映這百年來美國人平均壽命的成長，主要來自五十歲以下人口死亡率的降低，其中兩大主因，一是嬰兒早期死亡率大幅度降低，其次是各種傳染病獲得有效控制，兩者都可說是生物科學的簡易問題（easy problems）。想再延長人類的平均壽命，生醫界不得不面對棘手的問題，例如慢性疾病的預防與治療，甚至長壽醫學（longevity medicine）的研究。

長壽醫學是一項牽連廣泛的課題，一般人持兩種態度，有人視老化為問題，故全力謀求抗老（anti-aging）之道；有人視老化為現象，則學習順應與自我調適。生醫人士掌握技術，不免多持抗老立場，致力於尋找長壽的秘訣。

一輛跑車能跑多遠，既看路況和使用者的保養，也有其原始設計的目標值。人的身體構造有其使用上限本來合理，人壽的極限值該是多少年？中國的古老醫書《黃帝內經》說：「人之壽，百歲而死。」也有人說所謂天年就是一百二十歲。這跟觀察值相同，現存超過一百二十歲的人瑞屈指可數，因此西方長壽醫學也接受一百二十歲為人壽理論極限，要延長此一極限，唯有依賴人類物種百千萬年的演化。

一百二十歲的理論值，跟目前七、八十歲的實際平均壽命仍有一段顯著差距，三成的空間提供長壽醫學無限的想像，衍生了眾多的研究專案，當然也影響了資源的分配，許多有識之士對此一趨勢表示憂心忡忡。

長壽的社會道德

曾在小布希總統任內擔任生物倫理諮詢會主席的芝加哥大學教授里昂・凱斯（Leon Kass），對於長壽醫學素多批判，他認為由於醫學進步，天花、小兒麻痺等疾病幾近絕跡，人類固然受益良多，卻也以欲養欲，對醫學產生更多期盼，尤其人類追求青春不老的心理，他斥之以「幾近貪婪」。

假設真有一天地球上五〇％年齡五十歲的人能夠活到一百二十歲，首當其衝的是地球人口將急速增加，二〇五〇年時全球人口可能超過一百二十億（目前聯合國估計為九十億），而經濟學者如傑佛瑞・薩克斯（Jeffery Sachs）認為地球能夠合理負擔的人口總數為八十億。這份額外的人口負荷何其沉重？

如果六十五歲仍然是標準退休年紀，一個人在一百二十歲的生命裡，四十年工作，五十五年無所事事，在一個人口成長完全平衡的社會裡，這個比率也顯然失衡，更何況在生育率降低、人口急劇老化的現代社會？當一位勞力或勞心者需要撫養二至六位無工作的老年人口，將會產生哪些新的社會問題？福利國家的理想如何還能維續？

當然，六十五歲的退休年齡可以上修，例如改為七十五歲，如此一來，就業市場的供給形同增加二〇％。當今幾乎所有歐美國家（德國除外）二十五歲以下失業率都超過二

○％，若七十餘歲祖父祖母級生產力日漸滑落的老齡人口也來分食日漸縮小的就業大餅，不只失業問題將更加嚴峻，新舊世代的衝突恐成社會長期動盪不安的來源。

生命像燈泡或電池？

五○％的五十歲人口能活到一百二十歲只不過是個假設，實際上，也許十年後只能達到一％，果真如此，對生醫界而言，已經是極其了不起的成就。可以想見，現今社會的菁英人口必將不惜任何費用，嘗試各種抗老新方。

所有人都樂意長壽，但前提是健康並且充滿活力，最好生命能像電燈泡，亮的時候光鮮照人，鎢絲一斷，燈滅人亡，毫不拖泥帶水。這樣的憧憬，對生醫技術猶如科幻小說。退而求其次，人們又希望生命像二號而非三號電池，耐用時間更長。遺憾的是，人的生命末期「五臟皆虛，神氣皆去」，只怕到時候虛弱辛苦的老年期等比例加長，於己於人，有如歹戲拖棚，只剩難堪難忍。

希臘神話中，女神伊歐斯（Eos）懇求天神宙斯施展法力，讓她的凡世愛人提托諾斯

（Tithonus）也能長生不老，天神宙斯勉強答應，卻留了一手，結果提托諾斯雖長生卻無法青春永駐。等到他老邁不堪、嘮叨不休，伊歐斯忍無可忍，把他變成了一隻夏蟬，提托諾斯百般無奈，但求一死。今天一心追求長壽的人，多處於人生高峰，自然希望現在能向未來無限延長；若問起八、九十歲的老人，也許會發現，衰老終究是一個自然現象，春去秋來，還是敬而順之為上。

23與我們

基因定序是電腦科技施展三十年成就的新舞台。
基因透露的資訊極其重要，卻不確定，
對於個人心理的負荷能力，人與人之間的信任張力，
醫生與病人間的醫療行為，產生許多新的挑戰。

谷歌創辦人之一賽吉．布林（Sergey Brin）的太座安．沃吉斯基（Anne Wojcicki）冒險創業的勇氣不遑相讓，她成立的23andMe，從開張後便廣受圈內人關注。沃吉斯基畢業於美國長春藤名校耶魯大學，從事生技投資工作十年，二〇〇六年與友人共同創辦23andMe，翌年得到谷歌投資，二〇一一年募得第三輪三千兩百萬美元的投資，投資者名單中還包括Genetech、Johnson & Johnson這兩家生技大腕。

人有二十三對染色體，生命的奧秘盡在其中，儘管目前科技所知仍只是冰山一角，但23andMe認為已經足夠提供一些有用或者有趣的資訊。一個人只要花費九十九美元，寄上一試管唾液，八星期之後，便能上網查詢自己基因的遺傳特質。23andMe提供的資訊包含：受測者罹患一百一十二種疾病的機率（各種癌症、糖尿病，甚至阿茲海默症），對十九種藥物的基因反應傾向（例如是否容易染上海洛因毒癮），二十四種基因蛋白引起的疾病（例如缺乏G6PD而無法造血的蠶豆症），甚至還有五十種體質特徵（像是喝酒是否臉紅、能否嚐出苦味等等）。

資訊與生技匯流，解基因之謎

以目前人類對基因有限的了解，一口口水居然能透露出如此多的秘密，假以時日，人們必然能夠透過基因這扇小窗，一窺遺傳、健康、疾病與長壽之謎。有鑑於此，23andMe採取訂閱收費制，用戶每月付九美元，便能不斷享受新知識的利益（如猝發性心臟衰竭於二〇一一年七月加入檢驗報告項目），甚至可以協助在訂戶的社群中尋找血緣上的遠親。

當年谷歌投資23andMe經過嚴苛的審核程序，一則利益迴避，再則兩家公司根本屬於兩種完全不同的產業。從另一個角度來看，谷歌投資23andMe成為一個象徵，反映了資訊與生技匯流的趨勢。在所謂生物資訊學（bioinformatics）的整合學門裡，大量的生物資料，尤其是基因定序（gene sequencing），正好是電腦科技施展三十年成就的新舞台。

一個人基因內所隱藏的資訊最私密、最真實，無法造假，也不能更新。生物資訊與其他個人資料相似之處在於：無論基因資訊、銀行帳號、信用卡號碼，在網路間傳遞或電腦中儲存，既須兼顧使用的方便，更要有周全的隱密保障。不同之處則在於：生物資訊包含一個人整體生命的訊息，所牽涉的隱私、法律、利益層面更多更廣，因而產生不少新課題。

身體髮膚皆基因

不只體液，人的毛髮、指甲都能用來做基因定序。古老的理髮行業裡，從客人頭上剪下的頭髮都是垃圾（只有第一位登陸月球的太空人阿姆斯壯的理髮師，將他的落髮賣給收集名人頭髮的收藏家，收了三千美元，卻也幾乎吃上一場官司），將來肯定有些理髮師居心叵測，把客戶的頭髮都收集起來，建立基因庫檔案（就算沒建檔，也夠讓許多名人膽戰心驚）。

未來的法律不僅需要界定個人基因資訊的所有權、使用權，還得明確規範是否能為第三者的檢體進行基因定序。實務上，許多行業（如理容、牙科）可能必須制定新的執業守則甚至證照管理，或者為特定客戶提供特殊服務（例如保證妥善處理頭髮、指甲，不留任何後顧之憂）。

以目前的知識水平，基因檢測對疾病的預測仍然只是統計的關聯，而非因果。當23andMe告訴某個客戶他得糖尿病的機率較常人為低，只有一九%，而躁鬱症較常人為高，高達〇・二%，此人該如何反應？採取何種行動？基因透露的資訊極其重要，卻不確定，對於個人心理的負荷能力，人與人之間的信任張力，醫生與病人間的醫療行為，產生許多新的挑戰。

承受基因資訊的重荷

例如說，兩位戀人在結婚前應否做一次基因定序，讓雙方充分了解彼此的遺傳體質，提供最後一次反悔的機會？或說一方做了檢驗，他（或她）可有義務對另一方充分揭露？目前針對高齡產婦，醫生通常建議進行羊膜穿刺檢查，若有唐氏症風險，母親可以合法選擇終止懷孕；將來基因檢定若成為例行檢查，終止懷孕的決定權在母親還是醫生？

應採何種標準？一位操心的準母親可能看到嬰兒未來得癌的機率（其實每一個人的機率都超過二〇％以上）而憂心忡忡，另一位愛美的孕婦卻因嬰兒眼睛的顏色而躊躇不決，誰能給她們建議？還有，雇主可否直接或間接獲取員工基因資料，做為培訓、升遷的參考？如果保險公司針對某類基因的客戶設計特殊保險方案，或者拒絕提供保險，法律是否允許？道德上有無瑕疵？

醫療行為人命關天，向來受到高度的立法管制，醫生如何運用基因資訊，是否適合對病人家屬透露？甚至何時告訴病人？不僅是醫學界的熱門話題，病人社群也需要長期的教育，才能學習承受生物資訊之重荷，進而改變生活習慣，蒙受其利。

基因的知識，猶如普羅米修斯自宙斯處盜取的火種，罪或福爭辯已久。追求解開基因之謎，是人類對知的渴望，也是權利，任何力量難以剝奪。對基因的了解，必然影響人類對生命的觀念，終有一天人類將學會操縱或改變基因，進而顛覆社會倫理道德的傳統思維，因此發展生物資訊的同時，生物倫理（bioethics）的思辨實在不可缺席。

我泥中有你
你泥中有我

人的基因組具有三百三十億個鹼基對，
但任意兩人間的差異只有三百萬對，不過千分之一，
這毫釐差異造成現代人類膚色、五官、體態等千差百異的風貌，
而事實上，人們的血緣關係遠比外表的疏離來得親近。

前文提到23andMe這家公司，我兒子曾經將唾液寄去該公司做DNA定序，檢驗報告中包括父母親的血緣分析。依據遺傳人類學單倍型類群（Haplogroup）的分類，我屬於N型單倍群，我太太則屬於B5a1型，結婚多年，才發現原來她非我族類，我也非她族類。

如果接受演化論（用「如果」是因為有些宗教信徒認為人由猩猩演化而來的主張跟教義產生衝突），同時接受演化呈樹狀發展（目前化石證據顯示此樹獨此一棵，別無分株），那麼不只

所有人類都有共同的始祖，甚至人與草木蟲魚都同出一源。然而現代智人是否來自同一地區，還是由百萬年前已分居各地的原始人類獨立演化而成，科學家仍有不同的看法。許多中國人類學者因為中國地大物博、歷史悠久，情願相信中原的現代智人由久居中土的原始人類演化，與歐非的現代智人早已分道揚鑣。

基因漂移簡史

不過自從DNA定序技術發達之後，分析遺傳漂變（genetic drift）的路徑，遺傳人類學者基本同意現代人都是非洲智人的後裔，七萬年前自非洲出走（Out of Africa），由非洲東部遷徙至近東，然後繼續往東，五萬年前抵達南亞，接著向北移動，兩萬五千年前擴散至西伯利亞；另一族先民則在四萬年前由近東移民至歐陸，然後沿歐亞草原向東遷徙。根據這種說法，不到兩萬年歷史的北京山頂洞人也是非洲智人的後裔。

雖然遠古年代的遷徙非比現代移民朝發夕至，但就算每年遷徙五公里，不需幾千年，人類也能將足跡遍布地球上所有適合居住的土地。不論遷徙的動機為何，出走的族群經過悠悠歲月，累積基因的突變，終於形成此一族群特有的基因指紋。

例如我所屬的N型單倍群，學者認為乃是兩萬年前在東南亞產生的基因突變，然後擴散到其他地區，具有此基因的人包括現在中國漢人、西伯利亞原住民，甚至於居住北歐北邊接近北極圈的薩米人（Sami）。至於我太太所屬的 B5a1 單倍群中有漢人、北美印第安人，以及南島民族。我倆的族群既有廣泛的重疊，也有巨大的差異。

人的基因組具有三百三十億個鹼基對（base pair），但是任意兩人間的差異只有三百萬對，不過千分之一而已，這毫釐差異便造成現代人類膚色、五官、體態、疾病傾向等千差百異的風貌。我和我太太看似標準漢人，基因上卻分屬不同的單倍群；我的長相與薩米人的北歐面貌迥異，我太太的外貌也不同於黝黑的新幾內亞人，但是我和薩米人、我太太和新幾內亞人卻又屬於同一單倍群。

基因之河、繁衍之樹

原來，無論種族（race）或民族（ethnicity）都是社會學名詞，在生物學並無立足之地，因為無法為其下一個準確定義。例如中國宗法社會尊崇嫡長子，父親為漢人，後裔全是漢人，而猶太人則從母，猶太母親的子女皆為猶太人；兩千多年漢人或猶太人無論血緣如何稀釋，混雜多少「外族」成分，依然維持明確而頑強的身分認同，此乃文化和社會習俗的力量，無關DNA的成分。

即使在文化層次上，猶太人、漢人或台灣人的標籤之間，都存在著廣大的重疊或模糊區域，有些學者卻致力於用DNA的研究來定義人種，這種學說不僅科學上難以嚴謹，更有科學為意識形態所用之患。

每一個人的基因組都印著先祖在大地遷徙旅途中留下的足痕，它有如一條大河，匯集了千江萬水，溯水而上，如何論斷哪裡才是源頭？試想若以二十年為一代，五百年前我的祖宗少則數十萬，多則上千萬，明朝人口中，百人中可能就有一位是我的祖先。再往上推千年，這個比例自然更高，我的先輩中恐怕番胡漢蠻、士紳販卒、三教九流，無所不有，我的基因組裡那千分之一與其他人不同的部分，處處留存著他們生命的痕跡。

再將眼光投向未來，若我的子孫每人都有兩個子女，五百年後，我的後代將如大樹般茂盛茁壯，也許會蔭蓋了一〇%的台灣人口，每十個未來的台灣人，就有一個人的基因中留存著我的印記。

自古以來我們都在雜配

不過無論用河域或大樹來想像基因的傳承都難免過度簡約，因為河域只有匯流，沒有交叉跨流，大樹只有分岔，沒有接枝。基因單倍群演化樹圖（Haplogroup Tree）反映了幾千個基因突變在空間上、時間上的線型關係，卻沒能表達人類基因組亙古以來交流、混雜的網狀過程。若五百年前一百位明朝子民中就有我的先祖，現代社會的每一百個人裡，該有一個人跟我是遠親。若五百年後十個台灣人中有一個人是我的後代，那麼現在台灣人中每十人之一將成為我未來的親家。我們的血緣關係，遠比我們外表的疏離來得親近。

生物學者帕波（Svante Paabo）曾比對尼安德塔人化石和現代人的DNA，發現雙方在幾萬年前曾經混血（而且可能只有一次），以至於今天每一個亞洲人和歐洲人都帶有尼安德塔人的基因。他的結論是：「自古以來我們都在雜配（We have always mixed）。」

這可不應了那首老歌歌詞「我泥中有你，你泥中有我」？想到北國極地還有我一萬年前的表親薩米人，不由心生親切，有機會，該去拜訪他們。

國家圖書館出版品預行編目資料

錫蘭式的邂逅：我在創意之都矽谷的近距離觀察／
鄭志凱著 -- 初版. -- 臺北市：遠流，2012.07
面； 公分.--（實戰智慧叢書；H1402）
ISBN 978-957-32-6998-4（平裝）
078 101009961

實戰智慧叢書 H1402

錫蘭式的邂逅

我在創意之都矽谷的近距離觀察

作者：鄭志凱
出版四部總編輯暨總監：曾文娟
資深主編：鄭祥琳
企劃：高芸珮
行政編輯：江雯婷
美術設計：雅堂設計工作室

策劃：李仁芳
發行人：王榮文
出版・發行：遠流出版事業股份有限公司
地址：台北市南昌路二段 81 號 6 樓
電話：（02）2392-6899 傳真：（02）2392-6658
郵撥：0189456-1

著作權顧問：蕭雄淋律師
法律顧問：董安丹律師
2012 年 7 月 1 日 初版一刷
行政院新聞局局版臺業字第 1295 號
售價：新台幣 300 元（缺頁或破損的書・請寄回更換）

ISBN 978-957-32-6998-4

遠流博識網 http://www.ylib.com
E-mail: ylib@ylib.com